*Chères lectrices,*

Avez-vous remarqué que, en cette période estivale, tous les magazines féminins ne semblent s'intéresser qu'à une chose : notre corps et son apparence ? Voyez leurs couvertures : pas une qui ne nous promette un physique de déesse… Quant aux pages intérieures, elles vantent les mérites de régimes « faciles et sans effort », illustrés par des mannequins qui n'ont visiblement jamais eu le moindre petit bourrelet !

Rassurez-vous, je ne vais pas, à mon tour, vous proposer une recette miracle pour perdre trois kilos en un week-end (entre nous, je ne crois pas que ce soit possible…). En revanche, je vous donnerai un conseil : lisez *Le bouquet de la mariée* (Azur n° 2414) — une excellente façon de se réconcilier avec nos rondeurs dans la bonne humeur !

Dans ce roman, vous ferez la connaissance de Jodie, une jeune femme au physique généreux, bien décidée à perdre du poids pour le prochain mariage de sa sœur. Sa résolution est telle qu'elle va jusqu'à engager un coach, le séduisant Brad Morgan, afin de mieux se motiver. Mais à la grande surprise de Jodie, ce stage de remise en forme va lui faire découvrir que l'apparence physique n'est pas le plus important dans la vie. Car Brad, plutôt que de la transformer en poupée « bodybuildée », incite Jodie à s'accepter comme elle est… et comme elle lui plaît, puisqu'il est tombé fou amoureux d'elle. Un sentiment partagé, est-il besoin de le préciser ?

Excellente lecture !

*collection*

*Dans une famille royale, le scandale n'est-il pas le pire qui puisse arriver ?*

## A partir du 1er juillet,
## découvrez

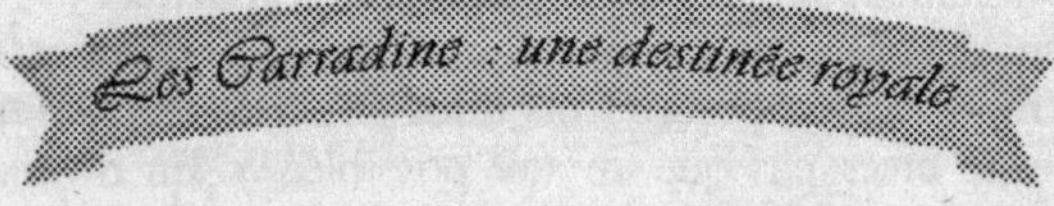


D'incroyables rumeurs agitent le petit royaume du Korosol. Le roi Easton aurait décidé de céder le trône à l'un de ses héritiers exilés aux Etat-Unis. Le vieil homme serait-il devenu fou ? Il n'a pas vu ses petits-enfants depuis des années ! D'ailleurs, rien ne dit que ces derniers voudront bien reprendre le flambeau… ou se montreront à la hauteur de la situation.

Désormais, le temps presse pour le roi Easton, gravement malade. Trouvera-t-il l'héritier ou l'héritière digne de lui succéder ?

Ne manquez sous aucun prétexte

Du 1er juillet au 1er décembre

La passionnante saga des *Carradine*

*6 romans inédits de 192 pages*

# La proie du désir

PENNY JORDAN

# La proie du désir

COLLECTION AZUR

---

*éditions* Harlequin

*Cet ouvrage a été publié en langue anglaise sous le titre :*
THE MARRIAGE DEMAND

*Traduction française de*
SOPHIE DUBAIL

HARLEQUIN®

est une marque déposée du Groupe Harlequin
et Azur ® est une marque déposée d'Harlequin S.A.


83-85, boulevard Vincent-Auriol, 75013 PARIS — Tél. : 01 42 16 63 63
Service Lectrices — Tél. : 01 45 82 47 47
ISBN 2-280-20313-8 — ISSN 0993-4448

# 1.

« Tu pensais vraiment que je ne te reconnaîtrais pas ? » semblait dire le regard de l'homme qui se tenait devant Faith.

Abasourdie, la jeune femme se demandait si elle n'était pas victime d'une hallucination. Comment aurait-elle pu se douter qu'elle trouverait Nash en ces lieux ? N'était-il pas censé habiter aux Etats-Unis où, comme elle l'avait lu dans la presse financière, il gérait l'empire de plusieurs milliards de dollars qu'il avait bâti ? Pourtant c'était bien lui qui se dressait, imposant et terrifiant, devant elle : l'homme qui, depuis dix ans, peuplait de cauchemars ses jours et ses nuits ; l'homme qui…

— Faith ! Vous n'avez pas encore fait la connaissance de notre généreux donateur, je crois ? lança Robert Ferndown.

*Nash ? Leur généreux donateur ?* Elle avait pourtant cru comprendre que le vaste hôtel particulier Belle Epoque, si familièrement cher à son cœur, avait été cédé à l'œuvre de bienfaisance pour laquelle elle travaillait, par les administrateurs du legs dont il faisait partie. Si elle avait pu soupçonner une seule seconde que Nash avait un rapport avec tout cela… Au prix d'un effort immense, elle parvint à maîtriser le trouble qui menaçait de réduire à néant ses compétences professionnelles.

La Fondation Ferndown, créée à l'origine par le grand-père de son employeur Robert Ferndown, avait pour vocation d'accueillir dans des foyers d'hébergement des parents confrontés à des situations financières difficiles, et leurs enfants. La Fondation possédait ainsi plusieurs structures d'accueil à travers le pays.

Dès l'instant où Faith avait lu leur offre d'emploi concernant un architecte diplômé, qui travaillerait directement sous les ordres du directeur général, elle avait ardemment souhaité obtenir ce poste. Le sort des enfants vivant dans la précarité lui rappelait inexorablement son propre passé…

Elle se raidit en entendant Nash répondre avec aplomb :

— Faith et moi nous connaissons déjà.

A ces paroles, une gigantesque déferlante, toute de colère et de peur mêlées, la submergea. Elle redouta ce qu'il allait dire ensuite, tout en prenant conscience qu'il s'amusait de ce qu'elle éprouvait, qu'il se délectait, pour ne pas dire qu'il jubilait du plaisir potentiel qu'il prenait à la blesser, à la détruire. Et pourtant, c'était lui qui, à en croire Robert, avait en accord avec les autres administrateurs de la succession, fait don de cette demeure à la Fondation – un acte d'une telle générosité que Faith avait peine à croire que Nash puisse en être l'instigateur.

Elle devina la curiosité de Robert qui, à l'évidence, attendait qu'elle renchérisse au commentaire de Nash. Mais ce n'était pas son silence bienveillant et attentif qui la réduisait à cet état de pure nervosité. Pour tâcher de recouvrer ses esprits, elle se rappela tout ce qu'elle avait dû endurer et surmonter au cours de sa vie, et combien elle était redevable aux personnes merveilleuses qui l'avaient soutenue.

L'une de ces personnes avait été sa mère, depuis longtemps disparue, et une autre… Alors qu'elle parcourait le bureau du regard, elle pouvait presque distinguer le visage familier de l'homme qui avait été une telle source d'inspiration pour elle et elle pouvait presque voir aussi… Envahie par la peine et la culpabilité, elle ferma brièvement les yeux, puis les rouvrit mais se refusa à regarder Nash ; imperceptiblement, elle devinait qu'il n'avait qu'un seul désir : qu'elle se tourne vers lui et se soumette à son hostilité.

— C'était il y a longtemps, précisa-t-elle enfin à Robert, d'une voix rauque. Plus de dix ans.

Elle sentait sa peur, tel un venin, se répandre sournoisement dans ses veines et l'empêcher d'esquisser le moindre geste, de prononcer la moindre parole pour se protéger alors qu'elle attendait que tombe le premier coup.

Elle savait que Robert avait été déçu par l'hésitation et la réticence qu'elle avait manifestées lorsqu'il lui avait appris sa décision de lui laisser carte blanche pour la transformation de Hatton House.

— Cette maison correspond parfaitement à nos besoins ! s'était-il enthousiasmé. Trois étages, un vaste terrain, une écurie mitoyenne qui pourra être aménagée, elle aussi…

Naturellement, il lui avait été alors impossible d'avouer la véritable raison de ses doutes et, à présent, il n'était plus nécessaire qu'elle lui en parle : Nash se ferait certainement un plaisir de s'en charger à sa place.

La sonnerie stridente du téléphone portable de Robert interrompit le cours de ses pensées. Il répondit en lui adressant un sourire chaleureux.

Robert ne dissimulait nullement l'intérêt qu'il lui portait. Pour preuve, il avait veillé à ce qu'elle assiste, à ses côtés, à divers événements mondains auxquels il prenait part en tant que porte-parole de la Fondation. Jusqu'alors pourtant, leurs relations étaient restées strictement amicales et n'avaient pas encore atteint le point où ils étaient véritablement sortis ensemble. Mais Faith savait que ce n'était plus qu'une question de temps, avant qu'il ne le lui demande.

— Je suis désolé, s'excusa Robert, dès qu'il eut raccroché. Je dois retourner immédiatement à Londres. La transformation de Smethwick House pose certains problèmes majeurs. Mais je suis certain que Nash veillera sur vous et vous fera visiter la maison, Faith. Je doute pouvoir revenir ce soir, mais je tâcherai d'être là dès demain.

Avant qu'elle puisse protester, il était parti, la laissant seule face à Nash.

— Quelque chose ne va pas ? demanda durement ce dernier. Non, laisse-moi deviner. Pas facile de vivre avec un sentiment de culpabilité, n'est-ce pas, Faith ? Quoique tu sembles t'en être facilement accommodée... aussi facilement que de coucher avec Ferndown, on dirait. Mais, il faut bien dire que, question moralité, tu n'as jamais été très regardante...

Colère et douleur... Faith n'aurait pu dire laquelle de ces émotions était la plus vive. Instinctivement, elle voulait se défendre, réfuter les accusations odieuses de Nash, mais elle savait, pour l'avoir déjà vécu, que toute tentative serait vaine. A bout de nerfs, elle parvint seulement à déclarer :

— Il n'y a rien dont j'aie à me sentir coupable.

Elle sut immédiatement qu'elle s'était trompée. Le regard que Nash lui lança aurait pu la foudroyer sur place.

— Tu as peut-être réussi à convaincre un tribunal pour enfants, Faith, mais j'ai bien peur de n'être pas aussi crédule. Et ne dit-on pas qu'un criminel revient toujours sur les lieux de son forfait ?

Saisie par la stupéfaction et l'angoisse, Faith dut lutter pour reprendre son souffle. Elle sentait des picotements d'appréhension à la racine de ses longs et épais cheveux mordorés. Lors de sa première visite à Hatton, Nash l'avait taquinée à ce sujet, croyant d'abord que, loin d'être naturelle, sa blondeur de miel résultait d'une coloration. Un été passé à Hatton l'avait rapidement convaincu de son erreur. Faith avait hérité la blondeur de ses cheveux et le bleu profond de ses yeux de son père danois — ce père qu'elle n'avait pas connu, décédé pendant sa lune de miel en sauvant un enfant de la noyade.

Lorsqu'elle avait été suffisamment grande pour réfléchir aux aléas de l'existence, elle avait été convaincue que les troubles cardiaques dont sa mère avait souffert, et qui avaient fini par la tuer, dataient de cette époque et résultaient de son désarroi d'avoir perdu son jeune époux. Faith avait bien conscience qu'aucune preuve scientifique ne pourrait jamais corroborer ses intuitions mais, n'était-elle pas mieux placée que quiconque pour savoir que certains événements dépassaient toute logique et toute explication rationnelle ?

— Que fais-tu ici ? défia-t-elle Nash farouchement.

Quoi qu'il pensât d'elle, elle n'était pas… elle *n'avait* pas…

Mécaniquement, elle hocha imperceptiblement la tête en essayant de se libérer du cheminement dangereux de ses pensées. Malgré son profond rejet de tout ce qu'elle savait qu'il pensait, en son for intérieur pourtant, ses souvenirs la rongeaient déjà. C'était ici, dans cette pièce, qu'elle avait rencontré Philip Hatton, le parrain de Nash, pour la première fois ; c'était dans cette pièce encore qu'elle l'avait vu pour la dernière fois, étendu sur le sol, à demi-paralysé par l'attaque d'apoplexie qui devait le conduire, peu après, à la mort.

Faith tressaillit sans pouvoir se contrôler alors que la terreur cauchemardesque de ses souvenirs d'adolescente menaçait de refaire surface et de la submerger.

— Tu as entendu ton patron.

Elle se raidit au ton délibérément provocateur avec lequel Nash avait accentué le mot « patron ». Si elle eut suffisamment de sang-froid pour s'interdire de répondre verbalement à son sarcasme, elle fut en revanche incapable d'endiguer la réaction instinctive et traître de son corps, ses yeux se faisant durs et s'assombrissant sous le coup de la douleur que ravivaient d'autres souvenirs.

— En tant que membre du conseil d'administration de la succession de mon regretté parrain, reprit Nash, c'est moi qui ai pris la décision de faire don de Hatton à la Fondation Ferndown. Après tout, je connais l'influence bénéfique d'un cadre de vie tel que celui-ci pour un enfant, quel que soit le milieu dont il est issu.

Les sourcils froncés, il se détourna de Faith, l'expression dure et courroucée qu'elle avait lue dans ses yeux cédant la place à une incertitude inconnue et vague.

Il s'était cru prêt pour cet instant, pour cette rencontre. Il avait cru qu'il pourrait se contrôler et maîtriser ses réactions. Mais la stupeur de revoir la jeune fille de quinze ans dont il se souvenait si vivement, métamorphosée en femme — une femme manifestement très admirée et désirée, par Robert Ferndown, mais sans doute aussi par de nombreux autres jeunes hommes naïfs — éveillait en lui une réaction qui menaçait les défenses qu'il s'était forgées.

Il détestait devoir admettre que cette vague de doutes tellement inhabituelle rouvrait des blessures qu'il croyait pourtant à jamais guéries. Il avait acquis, il le savait, au cours des dix dernières années, une solide réputation, non seulement d'adversaire redoutable en affaires, mais aussi de célibataire résolument attaché à son indépendance.

Il ferma les yeux un instant alors qu'il luttait contre la colère qui l'envahissait et anéantissait toute rationalité en lui. Il avait longtemps attendu cet instant. L'instant où la vie ramènerait Faith, pieds et poings liés, face à lui. Et maintenant que ce moment fatidique était arrivé, son armure menaçait de se fissurer…

Il prit une profonde inspiration et demanda doucement :

— Espérais-tu *vraiment* t'en tirer à si bon compte, Faith ? Croyais-tu vraiment que tu n'aurais jamais à payer pour tout le mal que tu as fait ?

Il lui lança un semblant de sourire qui n'avait rien d'amical, mais ressemblait davantage à un rictus glacial de mise en garde, et qui rappela à Faith la facilité avec laquelle Nash pouvait la blesser.

— As-tu dit à Ferndown *qui* tu étais vraiment et ce que tu avais fait ?

La brutalité de la question la fit suffoquer.

— Non, bien sûr, tu ne l'as pas fait, répondit Nash à sa propre question, la voix débordant d'un mépris cinglant. Si tu l'avais fait, la Fondation ne t'aurait jamais employée, en dépit de l'évidente « admiration » de Ferndown à ton égard. T'es-tu glissée dans son lit avant qu'il ne te donne le poste, ou l'as-tu laissé mijoter jusqu'à ce que tu aies obtenu ce que tu voulais ?

A cet instant, Faith perdit son sang-froid. Le son qui jaillit de ses lèvres, cri de douleur et de surprise, laissa Nash indifférent.

— Lui *as*-tu dit ? insista-t-il.

Tout autant incapable de mentir que de répondre, Faith secoua la tête. Le triomphe qu'elle lut dans les yeux de Nash confirma toutes les frayeurs qui grandissaient en elle.

Il acquiesça doucement en lui lançant un autre de ses sourires intimidants.

— Non, bien sûr, tu n'as rien dit. D'après ce que m'a confié ton gaga de patron, j'ai cru comprendre que tu t'étais arrangée pour omettre certains détails cruciaux du C.V. que tu as présenté à la Fondation.

Elle savait parfaitement ce qu'il voulait dire. La gorge serrée par la tension, elle lutta de toutes ses forces pour ne pas lui montrer combien elle avait peur désormais.

— Ils n'étaient d'aucun intérêt, protesta-t-elle.

— Aucun intérêt ? Le fait que tu aies échappé de justesse à une condamnation à la prison ? Que tu aies été responsable de la mort d'un homme ? Oh, non, tu restes là ! lança Nash, alors que Faith tournait les talons et s'apprêtait à s'enfuir.

L'étau des doigts de Nash, agrippant la douceur de son bras, lui arracha un cri.

— Ne me touche pas !

— *Ne me touche pas* ? répéta Nash. Ce n'est pas vraiment ce que tu me demandais par le passé, n'est-ce pas, Faith ? Tu me priais de te toucher… tu m'implorais…

Un son faible et torturé s'échappa de ses lèvres tremblantes.

— J'avais quinze ans… j'étais une enfant, essaya-t-elle de se défendre. Je ne savais pas ce que je faisais… ce que je disais…

— Menteuse !

De sa main libre, il saisit et immobilisa le bas de son visage pour l'empêcher d'échapper à l'emprise de son regard.

Le contact des doigts fins de Nash sur sa gorge éveilla un tumulte de réactions et de souvenirs. Son corps tout entier se mit à frémir, non pas de peur, comprit-elle avec stupéfaction, mais d'une montée de sensations insouciantes, impudiques et inexplicables qu'elle croyait avoir laissées derrière elle des années auparavant.

Combien de fois, au cours de cet été où elle avait rencontré Nash, avait-elle eu envie qu'il la touche, qu'il la possède ? Combien de fois avait-elle rêvé qu'il la retienne captive comme il le faisait à cet instant ? Elle imaginait alors la caresse légère de ses doigts sur sa peau, se figurait le flamboiement sauvage de ses yeux scrutant son visage, son corps durci par le désir qu'il avait d'elle.

Elle frémit encore, reconnaissant l'ingénuité de l'adolescente qu'elle avait été, voilà si longtemps. Elle s'était crue amoureuse de Nash et avait éprouvé pour lui toute la passion intense de cet amour, impatiente de se donner à lui totalement.

— Tu ne sais pas de quoi tu parles, avait-il lancé un jour en la repoussant alors qu'elle tentait de lui expliquer ce qu'elle ressentait et ce qu'elle voulait.

« Embrasse-moi, Nash ! » fut tout ce qu'elle réussit à lui répliquer.

Perdue dans ses souvenirs, elle prononça inconsciemment son ancienne prière dans un murmure. Stupéfait, Nash se figea. L'embrasser ? Mais à quoi jouait-elle ? Alors qu'il retirait doucement la main de sa gorge, Faith tourna la tête et effleura les doigts de Nash de ses lèvres.

Elle suffoqua au contact de la chaleur de sa peau contre ses lèvres offertes. Elle entendit un gémissement sourdre de la gorge de Nash, elle sentit s'estomper l'infime espace qui les séparait, elle accueillit son corps tendu et indéniablement masculin qui s'appuyait contre la douceur bouleversée du sien. La main pressée au creux de ses reins, il l'emprisonna contre lui au moment où sa bouche ferme et fraîche se posait sur la sienne…

Nash ressentit l'impact de ses propres gestes jusqu'au plus profond de lui-même. Le corps de Faith, tout en douces courbes féminines, paraissait incroyablement vulnérable contre le sien, sa bouche était douce et chaude. La tentation de la toucher, de céder à sa demande le rendait vulnérable. La véritable raison de sa présence ici était que justice soit rendue ; que Faith soit punie pour le mal qu'elle avait fait. C'était le moins qu'il devait à son parrain… et voilà où il en était arrivé…

Alors que Faith répondait à son contact, Nash frémit profondément, luttant pour se rappeler que la douce et innocente jeune fille qu'il avait si stupidement cru voir en Faith n'avait jamais réellement existé, que la femme qu'elle était devenue savait *précisément* ce qu'elle faisait et quelles émotions elle éveillait en lui. Pourtant, cette certitude même ne parvenait pas à l'empêcher de répondre à la passion de son baiser, à l'invitation de ses lèvres délicieusement entrouvertes.

Lorsque Faith ressentit la poussée ardente et violente de la langue de Nash forçant ses lèvres, cherchant l'intimité de sa bouche, elle eut la sensation de se noyer vague après vague dans un désir de plus en plus pressant. Ce désir l'envahit, la submergea, l'entraîna dans un gouffre profond et sombre d'une douceur de velours, un abîme de férocité ardente, brute, dangereuse et sensuelle, un lieu où Nash et elle…

Nash et elle !

Réalisant soudain ce qu'elle était en train de faire, Faith se dégagea brusquement de son étreinte, le visage empourpré trahissant sa détresse et sa confusion. Elle l'avait embrassé comme l'adolescente qu'elle avait été, *amoureuse* du jeune homme qu'il avait été, comprit-elle alors qu'elle essayait de concilier ce qu'elle venait de vivre dans ses bras avec la réalité qui les séparait désormais.

Comme elle s'était arrachée à ses bras, Nash avait reculé d'un pas. Faith perdit courage sous le regard altier et amer qu'il lui lança.

— Tu perds ton temps. Inutile d'essayer ces tactiques avec moi, Faith, l'entendit-elle dire avec cynisme. Cela marche peut-être avec les autres hommes, mais moi je connais ton véritable visage...

— C'est faux ! Je ne suis pas comme ça, se défendit-elle avec hargne. Tu n'as aucun droit de...

Menaçant, il l'interrompit :

— En ce qui nous concerne toi et moi, il n'est pas question de droit.

« Mon parrain avait le droit que tu respectes la confiance qu'il avait placée en toi, poursuivit-il avec acharnement. Et il avait aussi le droit d'attendre que justice soit faite — le droit d'attendre qu'on châtie la personne coupable de sa mort. »

— Je n'étais pas responsable, protesta Faith, d'une voix mal assurée. Tu ne peux pas me...

« Tu ne peux pas me faire admettre quelque chose que je n'ai pas fait », s'apprêtait-elle à dire mais Nash l'avait déjà interrompue.

— Qu'est-ce que je ne peux pas te faire, Faith ? demanda-t-il d'une voix douce et venimeuse. Je ne peux pas te faire payer ? Oh, mais je crois que tu vas bientôt t'apercevoir que j'en ai les moyens ! Tu as déjà reconnu que tu avais menti par omission sur le C.V. que tu as présenté à la Fondation Ferndown. Etant donné leur attachement aux critères moraux démodés dont ils se targuent, tu dois savoir aussi bien que moi que tu n'aurais jamais obtenu cet emploi s'ils avaient su la vérité. Bien sûr, je ne dis pas que Ferndown ne t'aurait pas invitée dans son lit malgré tout, mais nous savons tous les deux qu'il t'aurait alors proposé un arrangement professionnel d'une toute autre nature.

— Je n'ai pas été inculpée ! essaya de se défendre Faith.

En vain.

Elle avait l'impression d'être entraînée dans un horrible cauchemar éveillé. Jamais elle n'aurait pu imaginer qu'une telle situation se produirait. Elle avait toujours su à quel point Nash la tenait pour responsable et la détestait. Mais découvrir à présent qu'il avait l'intention de la punir parce qu'il estimait que la justice avait échoué à le faire, la jeta dans un état de panique qui l'empêchait même de penser.

— Non, en effet, approuva Nash avec un regard haineux. Tu ne l'as pas été.

La gorge sèche, Faith déglutit avec peine. Quelqu'un avait intercédé en sa faveur, plaidant la clémence et gagnant la sympathie et la compassion du tribunal pour enfants qui ne l'avait finalement condamnée qu'à une peine avec sursis. Elle n'avait jamais su qui était cette personne…

Une chose était sûre, cependant : Nash ne saurait jamais combien lui pesait cette culpabilité qu'elle niait devant lui. Pour seule réponse, elle parvint à articuler, la voix douloureuse et rauque, tant elle avait la gorge serrée :

— Tu *savais* que j'allais venir.

— Oui, je le savais, reconnut Nash avec froideur. C'était une manœuvre audacieuse de ta part de donner pour seule référence le nom de ton directeur d'études à l'université, un homme qui ignore tout de ta véritable nature.

— Je l'ai fait parce qu'il n'y avait *personne* d'autre, répondit Faith avec vivacité. Cela n'a rien d'une manœuvre. Ma mère était ma seule famille et elle… elle est morte.

Elle s'arrêta, incapable de continuer. Sa mère avait perdu la longue bataille contre sa faiblesse cardiaque deux jours seulement après la mort de Philip Hatton, raison pour laquelle Faith n'avait pu assister aux funérailles de ce dernier.

— Quoi qu'il en soit, ton directeur semble avoir une excellente opinion de toi, poursuivit Nash en lui adressant un sourire désobligeant. T'es-tu jetée dans ses bras, comme tu viens de le faire avec moi, Faith ?

— Tais-toi !

Sa voix résonnait de répugnance. Ses sentiments étaient trop puissants pour qu'elle puisse les cacher et trop envahissants pour qu'elle puisse remarquer l'éclat inquiétant dans les yeux de Nash, avant qu'il lui tourne le dos.

Au même instant, une femme d'un certain âge entra dans le bureau et Faith se raidit. Lorsque Robert lui avait présenté le projet, il avait précisé que la maison était tenue par une gouvernante que la Fondation continuerait à employer tout le temps que durerait la transformation.

Ce n'était pas la gouvernante dont Faith se souvenait. Ayant jeté à Faith un regard froid, elle se tourna vers Nash :

— J'ai préparé votre chambre habituelle, monsieur Nash. Et j'ai installé la jeune dame dans la chambre que vous aviez indiquée. Vous trouverez un repas froid dans le réfrigérateur, mais si vous souhaitez que je reste le soir tant que vous serez là…

— Merci, madame Jenson, répondit Nash. Ce ne sera pas nécessaire.

Faith regarda la gouvernante s'éloigner, puis, pivotant sur elle-même pour affronter Nash, elle murmura, le visage blême :

— Tu ne peux pas rester *ici* !

— Mais si, je le peux, rétorqua-t-il doucement. J'en ai fait une condition à la donation de la propriété. Naturellement la Fondation a parfaitement compris que je souhaite assister au déroulement des travaux. Surtout dans la mesure où cette entreprise est confiée à une jeune architecte aussi peu expérimentée…

Faith le dévisagea, le regard vide.

— Mais je vais vivre ici… Je suis obligée… C'est arrangé. Tu ne peux pas me faire ça, protesta-t-elle. C'est… c'est du harcèlement, accusa-t-elle vivement. C'est…

Nash acheva sa phrase avec une douceur implacable :

— … la justice.

# 2.

— J'ai demandé à Mme Jenson de préparer ton ancienne chambre, lui avait dit Nash.

Son ancienne chambre ! Serrant ses bras autour d'elle comme pour se protéger, Faith se rappela le ton ouvertement intimidant avec lequel Nash l'avait informée de sa décision. Il s'était attendu, elle l'avait bien vu, à une réaction hostile de sa part, mais elle refusait de le laisser manipuler tant ses actions que ses émotions.

Pensivement, elle traversa la pièce jusqu'à la petite fenêtre et plongea son regard vers l'élégant patchwork que dessinaient les jardins.

Aménagée dans une tourelle qui constituait l'un des détails architecturaux si distinctifs de la maison, cette pièce avait fait autrefois partie de la nursery. C'était une fantaisie surprenante de la part de l'architecte et, du haut de ses quinze ans, Faith était encore suffisamment enfant pour s'imaginer princesse de conte de fées, goûtant la solitude de sa tour privée.

— Je parie que tu es déçue que la tour ne soit pas entourée d'une pièce d'eau, l'avait taquinée Nash.

Pourtant, la chambre que Philip Hatton lui avait choisie lui plaisait infiniment et elle avait eu du mal à trouver les mots pour le lui dire.

Cette nuit-là, cette première nuit passée dans la chambre, blottie dans le lit immense et confortable, elle avait fermé les yeux et pensé à sa mère. Tout bas, elle lui avait parlé, lui disant combien elle s'estimait chanceuse, lui décrivant chaque détail et sachant le plaisir que sa mère aurait à partager avec elle toutes les choses merveilleuses qu'elle vivait à Hatton. Elle avait alors ardemment souhaité que sa mère pût se trouver auprès d'elle.

Mais, c'était impossible et elle le savait. Alors, les larmes avaient empli ses yeux, et elle avait pleuré en silence, le visage enfoui dans l'oreiller, consciente, avec toute la maturité acquise au cours des six derniers mois pénibles et effrayants qu'elle venait de traverser, que sa mère ne connaîtrait *jamais* Hatton.

Nerveusement, Faith s'éloigna de la fenêtre. La pièce n'avait guère changé : le lit ressemblait exactement à celui dont elle se souvenait, mais les rideaux à la fenêtre et le couvre-lit étaient différents. Elle reconnut même le papier peint démodé de couleur rose, fané par les ans. Tendrement, elle tendit la main et caressa du bout des doigts un motif du papier.

Elle se rappela le joli papier peint de sa chambre, dans le minuscule appartement à loyer modéré qu'elle avait partagé avec sa mère. Elles l'avaient posé ensemble, peu après leur emménagement. Faith avait su combien il avait été pénible à sa mère de quitter le petit cottage qu'elles avaient habité depuis sa naissance, mais le jardin était devenu trop difficile à entretenir. En outre, le nouvel appartement était plus proche de l'hôpital et de l'école, et plus facile d'accès pour sa mère, étant situé au rez-de-chaussée.

N'y avait-il pas quelque chose de presque effrayant quant au pouvoir d'un événement à changer la vie entière d'une personne ? se surprit à penser Faith alors que ses réflexions se concentraient sur le passé. Sa venue à Hatton ne résultait en effet que d'un concours de circonstances.

Peu après leur déménagement, le médecin de sa mère avait annoncé que cette dernière devait subir une intervention très lourde et qu'ensuite, il lui faudrait passer plusieurs mois de convalescence dans une maison de repos spécialisée.

Au début, sa mère avait opposé un non catégorique. Prétextant que sa fille n'avait que quinze ans, elle n'acceptait pas de la laisser seule tout le temps que durerait son hospitalisation. Le médecin avait alors proposé de contacter les services sociaux pour que Faith soit placée, temporairement, dans un foyer pour enfants de la ville, où elle resterait jusqu'à ce que sa mère aille mieux et puisse de nouveau prendre soin d'elle.

Sa mère avait derechef refusé de seulement envisager cette possibilité, mais Faith n'ignorait pas la rapidité et la gravité avec lesquelles sa santé se détériorait. Aussi, faisant taire ses propres craintes, elle s'était efforcée de la convaincre qu'elle était tout à fait disposée à suivre les conseils du médecin.

— Ce ne sera que temporaire, avait-elle argué, juste pour les vacances d'été. Et puis, je serai contente de connaître d'autres filles de mon âge…

Et il en avait été ainsi décidé. Pourtant, à la toute dernière minute, le jour même de l'hospitalisation de sa mère, Faith avait été envoyée à une centaine de kilomètres de là, et non au foyer pour enfants de la ville.

Elle se souvenait encore de la vive inquiétude qu'elle avait ressentie alors, mais la santé de sa mère la préoccupait bien davantage. Le pire avait été d'apprendre qu'elle ne serait pas autorisée à lui rendre visite, ni après l'opération, ni pendant sa convalescence.

A son arrivée, malgré toute la gentillesse des éducateurs, Faith s'était sentie engloutie dans l'effervescence anonyme du lieu et avait dû affronter l'hostilité d'un certain groupe de filles déjà hébergées au foyer.

Lorsqu'elle avait pu parler à sa mère au téléphone après son opération, elle n'avait résolument rien avoué des agissements de cette bande qui la tourmentait et lui réclamait de l'argent. Il n'était pas question d'inquiéter sa mère inutilement ! Celle-ci avait besoin de toutes ses forces pour guérir.

Une semaine plus tard, Faith avait été enchantée d'apprendre qu'une sortie était organisée afin de visiter un hôtel particulier, véritable joyau d'architecture de la Belle Epoque, et ses jardins. Son père avait été architecte et suivre ses traces était son vœu le plus cher. Elle n'ignorait pourtant pas qu'en raison des faibles revenus de sa mère, elle n'avait quasiment aucune chance d'entreprendre des études universitaires et donc d'obtenir les diplômes nécessaires.

Son enthousiasme avait été quelque peu altéré lorsqu'elle avait découvert que les filles qui l'avaient si ouvertement prise en grippe, participaient aussi à cette sortie. Elle en avait été d'autant plus surprise que celles-ci revendiquaient ouvertement et effrontément *leurs* passe-temps favoris.

Comme sa mère aurait été horrifiée si elle avait su la vérité à leur sujet ! Faith les avait entendues se vanter haut et fort de leurs activités criminelles. Elle avait même entendu d'autres pensionnaires du foyer raconter à voix basse qu'elles allaient en ville pour voler dans les magasins.

— Pourquoi ne les dénonces-tu pas ? avait demandé Faith à la fille qui lui en avait parlé.

Celle-ci avait répondu avec un haussement d'épaules :

— Elles me tueraient si elles l'apprenaient ! Et de toute façon, comme dit Charlene, même si elles sont prises, elles iront seulement devant un tribunal pour enfants.

— *Seulement !* s'était exclamée Faith, incapable de dissimuler sa surprise.

Mais l'autre fille avait de nouveau haussé les épaules dédaigneusement.

— Le frère de Charlene est déjà en prison. Selon elle, il dit que c'est génial... Ils peuvent faire tout ce qu'ils veulent. Il a été condamné parce qu'il avait volé une voiture. Charlene déteste être ici parce qu'elle dit qu'il n'y a rien d'intéressant à voler, seulement des bricoles dans les magasins.

Consternée, Faith avait été d'autant plus déterminée à éviter ces filles le plus possible. Celles-ci semblaient justement prendre un malin plaisir à la railler et la tourmenter, mais la maladie de sa mère avait donné à Faith une maturité qui l'aidait à les ignorer et à les considérer avec un silence digne.

Elle avait pourtant eu beaucoup de peine à supporter le vol, dans sa chambre, de la délicate broche en argent représentant une minuscule fée, que sa mère lui avait donnée et que celle-ci tenait de son défunt mari. Faith avait été quasiment certaine de l'identité de la voleuse ; elle avait signalé l'incident au personnel débordé du foyer, tout en ayant conscience d'agir en pure perte.

Hatton House se trouvait à quelques minutes à pied du foyer. Faith se souvenait encore de son ravissement lorsqu'elle avait découvert la demeure pour la première fois.

Dessinée par sir Edwin Lutyens, elle dégageait une atmosphère magique de livres d'histoires qui l'avait enchantée, alors que sa vive intelligence remarquait sans mal les caractéristiques de conception favorites du célèbre architecte.

Alors que le reste du groupe avait traversé la maison avec une impatience ennuyée, Faith s'était attardée avec plaisir dans chacune des pièces et, c'était lorsqu'elle était revenue sur ses pas, pour admirer le bureau une seconde fois, que Philip Hatton l'y avait surprise.

Il était alors déjà un homme âgé, d'environ soixante-quinze ans, à la silhouette mince d'ascète, aux yeux aimables et sages et au sourire doux qui l'avaient immédiatement séduite.

Elle avait passé le reste de l'après-midi en sa compagnie, l'écoutant parler de sa maison, raconter son histoire, buvant chacune de ses paroles et, en retour, lui faisant part de sa propre situation.

Au grand étonnement de l'assistante sociale qui accompagnait le groupe, Philip avait insisté pour que Faith reste plus longtemps et qu'elle dîne avec lui.

— Mais comment rentrera-t-elle au foyer ? avait protesté la pauvre femme.

— Je la ferai reconduire avec ma voiture ! avait-il assuré.

Faith souriait à présent en se rappelant la prestance empreinte de noblesse qui caractérisait Philip.

Et elle se rappelait chaque infime détail du dîner qu'ils avaient partagé.

Après avoir été envoyée à l'étage, aux bons soins de la vieille gouvernante, pour se laver les mains, Faith avait regagné le bureau où Philip Hatton n'était plus seul.

— Ah, Faith ! s'était-il réjoui en la voyant revenir. Venez faire la connaissance de mon filleul, Nash. Il passe l'été ici, avec moi. Nash, approche ! Je te présente Faith. C'est une admiratrice de Lutyens, elle aussi !

C'est ainsi que tout avait commencé. Un seul regard porté sur Nash, grand et incroyablement séduisant, sur son corps musclé et attirant, son épaisse chevelure brune, ses yeux stupéfiants couleur topaze et son incroyable aura de sensualité masculine avait suffi pour qu'elle succombe. Aurait-elle seulement pu réagir autrement ?

Ils avaient dîné d'asperges fraîches, de saumon poché et de fraises à la crème, le dîner estival préféré de Philip, comme elle devait le découvrir plus tard. Aujourd'hui encore, le goût du saumon et le parfum des fraises suffisaient à lui remémorer ce repas.

Il lui avait semblé alors que même la pièce était imprégnée d'une lumière magique particulière, d'une lueur dorée merveilleusement mystique et que soudain, auprès de Philip et de Nash, qui écoutaient attentivement la part qu'elle prenait à la conversation, elle avait grandi, elle était adulte.

La détresse de sa vie au foyer était oubliée : elle se sentait presque comme une chenille sortant de sa chrysalide trop étroite pour connaître l'exaltation et la liberté du vol.

Nash l'avait ramenée dans la soirée. Elle n'avait jamais oublié la façon dont son cœur s'était mis à battre à tout rompre, lorsqu'il avait arrêté la voiture à l'entrée du foyer. La nuit était tombée et, dans l'intimité obscure de la rue tranquille, assise à côté de Nash, elle avait retenu son souffle. Allait-il la toucher… l'embrasser ? Eprouvait-il les mêmes sentiments qu'elle ?

Un sourire sans joie étira ses lèvres alors qu'elle revivait ses émotions naïves. Comme elle avait été déçue lorsque Nash l'avait simplement remerciée de sa gentillesse envers son parrain.

— Mais j'ai été très heureuse de lui parler, avait-elle insisté sincèrement.

Moins d'une semaine plus tard, elle s'installait à Hatton House, un arrangement décidé après que Philip avait écrit à sa mère pour inviter Faith à passer la fin des vacances scolaires chez lui.

En apprenant cette nouvelle, la jeune fille était restée sans voix… extasiée, incapable de croire à sa bonne étoile. Si seulement, elle avait pu prévoir *alors* les conséquences de son séjour…

Machinalement, Faith retourna à la fenêtre, en s'efforçant de chasser ses souvenirs. De là, elle jouissait d'une magnifique vue panoramique sur les jardins, dessinés par la célèbre jardinière paysagiste Gertrude Jekyll. Ils étaient au summum de leur beauté à cette époque de l'année. Elle se souvenait distinctement des longues heures ensoleillées qu'elle avait passées aux côtés de Philip, à désherber les superbes longues plates-bandes de part et d'autre de l'allée qui conduisait au joli pavillon d'été.

Soudain, une voiture puissante s'avança dans l'allée et s'arrêta devant la maison. Nash en descendit et Faith se figea. Où était-il allé ? Si seulement elle avait su qu'il était sorti, elle serait descendue chercher de quoi manger. Elle ne voulait pas dîner en sa compagnie.

Avant son arrivée, Robert lui avait dit que toutes les dispositions avaient été prises pour qu'elle habite la maison, mais qu'elle devrait préparer ses propres repas.

— La cuisine est parfaitement équipée et vous pourrez utiliser toutes les installations disponibles. Nous vous accorderons en outre une indemnité si vous souhaitez déjeuner à l'extérieur… et j'espère que vous le souhaiterez, avait-il achevé avec un sourire. Notamment, lorsque *je* viendrai pour nos réunions de travail.

Faith s'était contentée de lui sourire. L'intérêt que Robert lui portait était un aléa qu'elle n'avait pas envisagé lorsqu'elle avait initialement postulé pour cet emploi.

Elle estimait avoir parfaitement le droit de ne pas informer ses éventuels employeurs des événements qui avaient précipité la mort de Philip. Mais dissimuler lesdits faits à une personne avec laquelle elle était susceptible d'établir une relation personnelle étroite était une perspective qu'elle refusait d'envisager.

Pour Faith, aimer quelqu'un signifiait être honnête envers cette personne, lui faire confiance. Si Robert et elle s'étaient rencontrés dans des circonstances différentes, elle savait qu'à une étape de leur relation, elle aurait voulu lui révéler son passé.

Elle appréciait Robert, sincèrement. Et bien sûr, un jour elle espérait se marier et avoir des enfants. Mais… Un froncement de sourcils inquiet barra son front.

*Pourquoi* Nash refaisait-il surface dans sa vie ? Elle frissonna en se rappelant le regard qu'il lui avait lancé en lui annonçant sa détermination à ce que justice soit faite pour la mort de Philip.

Malgré elle, son regard fut attiré vers l'allée où Nash marchait à grands pas. Alors, comme si une force mystérieuse les unissait, il s'arrêta, leva la tête et son regard se fixa infailliblement sur la tourelle et sa fenêtre.

D'un mouvement vif, Faith recula mais elle savait que Nash l'avait aperçue.

L'été de son séjour à Hatton, elle avait passé plus de temps qu'elle n'aurait voulu l'avouer à attendre… à guetter l'arrivée de Nash. De sa chambre, elle disposait d'une vue parfaite sur l'allée et, à cette époque, Nash conduisait une petite voiture de sport racée de couleur rouge.

Même si, officiellement, il était venu aider son parrain pendant l'été, il travaillait déjà au projet professionnel sur lequel il devait bâtir son futur empire.

Cet été-là, chaque fois qu'il l'avait surprise à l'épier, il s'était arrêté sous sa fenêtre et lui avait souri, affirmant avec espièglerie que si elle ne se montrait pas plus prudente, il risquait fort un jour d'escalader la façade pour la rejoindre.

Comme elle avait alors prié pour qu'il joigne le geste à la parole ! Elle était alors tellement amoureuse de lui qu'il ne restait que bien peu de place dans ses pensées ou dans ses émotions pour quiconque d'autre. Il avait été son idéal, son héros et, à mesure que l'adolescente en elle cédait la place à une jeune femme en plein épanouissement, l'envie qu'elle avait de lui n'avait fait que croître et s'intensifier.

Osant à peine, au début, regarder sa bouche de peur de rougir de son désir, elle s'était surprise ensuite à la fixer avec impudence, les mots qu'elle savait qu'elle ne devait pas prononcer martelant silencieusement leur litanie dans sa tête.

*Embrasse-moi.*

Et voilà qu'aujourd'hui, dix ans trop tard, Nash l'avait enfin embrassée. Non pas comme elle avait attendu, *rêvé* qu'il le fasse, en débordant d'amour et de tendresse, une lueur d'adoration médusée dans les yeux alors qu'il mendiait son amour. Oh, non ! Le baiser qu'il lui avait donné aujourd'hui avait été brusque, furieux, animé de la violence de ses émotions et de l'hostilité qu'il éprouvait envers elle.

Pourquoi alors, avait-elle répondu avec une passion que jamais elle n'avait ressentie envers aucun des hommes qu'elle avait fréquentés ?

La vive irritation de sa voix intérieure la déconcerta : elle avait répondu à son baiser parce que ses souvenirs l'avaient trompée, tout simplement. Elle avait cru qu'elle embrassait le Nash d'autrefois. Quant aux autres hommes, eh bien, ils n'avaient jamais représenté que des flirts sans importance, rien de sérieux, et elle les avait davantage embrassés par sentiment de loyauté qu'autre chose. Elle n'avait jamais souhaité partager avec eux plus que des baisers.

Avec Robert pourtant, elle avait eu le sentiment que peut-être… peut-être seulement, quelque chose de plus profond et de plus intense pourrait éventuellement naître entre eux. Mais depuis longtemps, Faith se montrait très prudente vis-à-vis de ses émotions, très sélective quant aux personnes qu'elle laissait faire partie de sa vie. Aujourd'hui, un homme comme Nash Connaught n'aurait pas la moindre chance de lui faire commettre les mêmes erreurs que celles qu'elle avait faites à l'âge de quinze ans.

Faith estimait aujourd'hui que la pierre angulaire de toute relation était une confiance mutuelle. Sans cette confiance… rien ne pouvait exister – ou *rien* qu'elle considère valable, comme elle était bien placée pour le savoir.

Dans les heures les plus sombres qui avaient suivi le décès de Philip, puis celui de sa mère, elle avait puisé son unique réconfort dans la certitude que Philip lui avait réellement fait confiance, assez du moins, pour inclure dans son testament cette clause merveilleusement inattendue à son intention.

Lorsqu'elle avait appris que le vieil homme avait laissé de l'argent destiné spécifiquement à financer ses études et son entrée à l'université, Faith avait eu peine à le croire. Jusqu'alors, elle s'était dit que son seul espoir de devenir architecte serait de trouver un emploi et d'étudier pendant son temps libre, ce qui signifiait en réalité, qu'il lui serait virtuellement impossible d'atteindre son but.

Mais ce n'était pas seulement la découverte du legs de Philip qui avait tant signifié pour elle. Le plus important avait été de savoir qu'en dépit des événements, il croyait encore en elle. Et pour Faith, cette conviction n'avait pas de prix. C'était un cadeau inestimable ; un cadeau si précieux qu'aujourd'hui encore, lorsqu'elle y repensait, ses yeux se remplissaient de larmes et elle se sentait envahie d'une émotion qu'un homme comme Nash ne serait jamais capable de comprendre.

Nash, pour qui tout était noir ou blanc... Nash, qui pouvait condamner quelqu'un sans même le laisser se défendre... Nash, aux yeux de qui elle était une voleuse et une meurtrière...

En proie à la fureur, Nash gagna la maison. Apercevoir Faith derrière la fenêtre, l'espace d'une seconde, alors que la lumière du soleil dansait sur ses cheveux dorés, avait suffi pour qu'il soit inexorablement précipité dans le passé.

Il avait su, à l'instant où son parrain lui avait annoncé son intention d'inviter Faith à passer l'été à Hatton, que sa présence serait source de problèmes, mais il n'avait pas prévu à quel point son intuition s'avérerait fatalement précise. Les problèmes qu'il avait envisagés étaient en effet radicalement opposés au vol et... au meurtre.

Sa mâchoire se crispa, l'expression de ses yeux devint froide. Comme son parrain, il avait été totalement subjugué par Faith, voyant en elle une jeune fille naïve. Son regard torturé s'emplit d'amertume. Dire qu'il avait même voulu la protéger, croyant alors que les avances qu'elle lui faisait étaient totalement innocentes et qu'elle n'avait aucune idée de ce qu'elle éveillait en lui lorsqu'elle le regardait, le visage brûlant des pensées qu'il lisait si clairement dans ses beaux yeux d'un bleu limpide !

Il avait même puisé un certain amusement douloureux dans la façon dont elle fixait sa bouche, mi-audacieusement, mi-timidement, mais néanmoins hardiment, se demandant ce qu'elle ferait au juste s'il répondait à son invitation et cédait à la violente ardeur du désir qu'elle suscitait en lui.

Mais Faith n'avait que quinze ans, elle n'était qu'une enfant, s'était-il rappelé avec sévérité un nombre incalculable de fois au cours de ce bref été. Et malgré les nombreuses réactions de son corps, qui exprimait en des termes de plus en plus urgents et physiques comment ce dernier la percevait exactement, sa conscience savait qu'il serait déshonorant et malhonnête de céder à ses pulsions.

Elle n'aurait pas toujours quinze ans, s'était-il dit. Un jour, elle *serait* adulte et alors… Alors, il pourrait se venger encore et encore de chacun des regards naïvement provocateurs qu'elle lui avait lancés, se venger baiser après baiser de tous les baisers qu'il avait rêvés de lui voler, alors qu'il savait que c'était impossible.

Combien de nuits était-il resté éveillé, tourmenté par l'ardeur de son propre désir, proprement incapable de s'empêcher de gémir à voix haute à la pensée de ce que Faith ressentirait si elle était étendue contre lui ? Sa peau douce comme de la soie, sa bouche aussi parfaite et parfumée que les roses délicatement enivrantes du jardin, ses yeux aussi bleus que la campanule qui poussait parmi elles. Seigneur ! Comme il l'avait désirée, comme il s'était langui d'elle ! Fichtre ! Il avait même été suffisamment stupide pour élaborer des projets d'avenir où Faith avait sa place…

Au début, il n'avait pas osé reconnaître, même en lui-même, à quel point il se réjouissait de la voir l'attendre, derrière la fenêtre de la tour, telle une princesse des temps modernes, retenue prisonnière loin de lui, non pas par son père, mais par son jeune âge et ses convictions morales à lui.

Quelle amertume il avait éprouvée lorsqu'il avait dû reconnaître que l'innocence de Faith, qu'il s'était tellement acharné à protéger de son propre désir, n'avait été rien de plus qu'une illusion ! Mais sa propre rancœur n'était rien comparée à l'anxiété et à la culpabilité qu'il avait ressenties s'agissant de son parrain. Si lui-même n'avait pas été autant envoûté par Faith, ni accaparé par l'excitation de bâtir un empire immobilier, il aurait peut-être vu plus distinctement ce qui se tramait et compris quel genre de personne Faith était réellement.

Mais il ne tomberait pas une seconde fois dans le même piège ! se jura-t-il intérieurement.

Stupéfait de découvrir qu'elle travaillait pour la Fondation qu'il avait précisément choisie comme bénéficiaire de la donation de son parrain, il avait quitté New York par le premier avion pour rejoindre Londres. Il avait d'abord eu l'intention de mettre Robert Ferndown en garde contre Faith, mais lorsqu'il avait entendu ce dernier faire l'éloge des capacités de la jeune femme, il avait été submergé par un flot de virulente colère contre elle.

Ce fut à ce moment qu'il décida de la punir pour le crime qu'elle avait commis. Il ne la punirait pas rapidement et immédiatement, mais au contraire, lentement, en lui faisant subir la lente agonie que son parrain avait endurée... Il la maintiendrait dans un état de peur et d'angoisse permanentes, sans qu'elle sache jamais quand s'abattrait le coup fatal.

Il entra dans la maison et s'arrêta devant la porte du bureau restée ouverte. Il sentait encore le goût du baiser de Faith sur ses lèvres, le poids de son corps appuyé contre le sien, la réaction involontaire de sa virilité. Avec colère, il tourna les talons. Ne risquait-il pas de tomber dans son propre piège ?

# 3.

Faith dégourdit ses doigts et repoussa son ordinateur portable d'un geste las. Il était encore beaucoup trop tôt pour qu'elle commence son rapport préliminaire sur la maison.

En regardant le jardin depuis sa fenêtre, elle s'était rappelé non seulement le joli petit pavillon d'été mais aussi les nombreuses statues qui agrémentaient l'extérieur, et dont certaines, elle le savait, étaient de très grande valeur. Elle aurait besoin de savoir si ces statues resteraient ou non dans le jardin afin, le cas échéant, de décider comment les protéger au mieux des dégradations et du vol. Dès le lendemain, elle en dresserait la liste complète et détaillée, puis contacterait Robert pour lui demander son avis.

Elle entendit frapper à sa porte et, ne sachant que trop de qui il s'agissait, se raidit et hésita longuement avant d'ouvrir.

Sans surprise, elle découvrit Nash et l'accueillit d'un simple :

— Oui ?

Il avait changé de vêtements depuis qu'elle l'avait vu descendre de voiture. Il portait à présent un T-shirt blanc qui soulignait son torse musclé. Faith en eut le souffle coupé. Adolescente, elle avait adoré Nash, l'avait pour ainsi dire *vénéré*. Aujourd'hui, devenue femme, elle était consciente de l'aura de sensualité brute qui émanait de lui. Elle en était consciente et, en même temps, irritée.

— Mme Jenson a préparé à dîner. Elle sera vexée si nous ne touchons pas à son repas, annonça-t-il sèchement.

Prête à affirmer qu'elle n'avait nullement faim, Faith fut trahie par son estomac qui, sournoisement, émit un gargouillement parfaitement audible !

Incapable d'affronter le regard de Nash, elle répondit, la voix tendue :

— Je viens dans une minute. J'ai quelque chose à terminer.

Elle attendit qu'il se soit éloigné pour se précipiter sur la porte et la refermer. Ses mains tremblaient violemment. Etait-ce le fruit de son imagination ou percevait-elle réellement une onde de danger qui flottait dans l'atmosphère ? Un danger et quelque chose… quelque chose d'intimement lié à l'excitation charnelle que Nash éveillait en elle.

Dans la salle de bains attenante à sa chambre, elle baigna rapidement son visage brûlant, brossa ses cheveux et retoucha son maquillage discret qu'elle appréciait. Réfléchissant aux propos de Nash, elle avait peine à croire qu'il se préoccupe vraiment qu'elle n'ait pas encore dîné ! A moins, corrigea-t-elle avec cynisme, qu'il ne veuille dîner avec elle afin de s'assurer qu'elle ne déroberait pas vaisselle et couverts !

Et pourtant, lorsqu'elle entra dans la cuisine et découvrit que Nash n'y était pas, Faith se sentit envahie d'un sentiment de… De quoi au juste ? se demanda-t-elle vivement. De déception ? Non, c'était impossible. Non, elle était *heureuse* qu'il lui laisse au moins la liberté de dîner seule, sans avoir à affronter sa présence intimidante.

Mais à peine avait-elle ouvert le réfrigérateur, qu'elle comprit sa désillusion, puisque Nash arrivait à son tour.

— Saumon et asperges, murmura Faith en découvrant le dîner préparé à leur intention.

Les larmes perlèrent à ses paupières, la forçant à garder la tête penchée pour que Nash ne puisse les voir tandis qu'elle clignait des yeux pour les disperser.

Les mets préférés de Philip !

Elle comprit soudain que malgré son appétit, elle ne pourrait apprécier le repas.

— J'ai changé d'avis, déclara-t-elle en refermant la porte du réfrigérateur, les mains tremblantes. Je n'ai pas faim.

En d'autres circonstances, l'expression d'incompréhension masculine que Nash lui lança aurait pu l'amuser, mais elle vit cette expression se muer en une violente colère lorsqu'elle voulut s'en aller. Prestement, Nash se glissa devant elle et lui barra le passage.

— Je ne sais pas à quel jeu tu joues…, dit-il d'un ton menaçant.

Faith commençait à perdre son sang-froid. La journée avait été longue : tout d'abord, elle avait été submergée d'exaltation et de fierté en apprenant que Robert lui confiait la transformation de Hatton, un projet d'envergure ; ensuite, elle avait été profondément stupéfiée de revoir Nash, après tant d'années ; enfin, elle avait été bouleversée de revivre des souvenirs tellement douloureux… et c'était sans compter tout ce qu'elle avait ressenti lorsque Nash l'avait embrassée.

— Je ne joue à aucun jeu, nia-t-elle farouchement. C'est toi qui joues, Nash. Pourquoi es-tu ici ? Pourquoi *restes*-tu ? Cela ne fait pas partie de l'arrangement que Robert a passé avec les administrateurs de la succession.

— Pour une nouvelle employée, tu sembles bien au courant de ses affaires ! riposta Nash sans sourciller.

Malgré la colère qu'elle manifestait, il semblait avoir deviné sa vulnérabilité. Avec un brusque changement de ton, il reprit :

— Mais bien entendu, tu n'es pas qu'une employée, n'est-ce pas, Faith ? Pourquoi diable, crois-tu que je sois ici ? Comment peux-tu imaginer un seul instant, qu'en apprenant ta présence à Hatton, je te permettrais de rester seule ? Cette maison regorge de richesses architecturales inestimables : des boiseries, des architraves, des cheminées pour ne citer que celles-ci. Ces éléments pourraient facilement se négocier plusieurs milliers de livres sterling s'ils étaient démontés et revendus à quelque entrepreneur peu scrupuleux de leur provenance.

Faith n'ignorait pas cela, mais elle était consternée que Nash puisse la croire effectivement capable d'un tel délit. Sans lui laisser le temps de se défendre, il l'attaqua encore, mais sur un tout autre sujet cette fois.

— As-tu l'intention de dire à *Robert* que tu m'as demandé de t'embrasser ? demanda-t-il avec une douceur acide.

— Comment ? Je… je n'ai rien fait de tel, nia Faith d'un ton indigné.

— Menteuse ! persifla Nash. « Embrasse-moi », c'est exactement ce que tu m'as dit. Mais naturellement, nier la vérité, ça te ressemble bien !

A présent blême d'humiliation, Faith se souvint avec horreur avoir effectivement *pensé* ces mots. Mais elle n'avait pas… elle ne *pouvait* pas les avoir prononcés à haute voix. Elle devait l'avoir fait pourtant, à moins que Nash n'ait lu dans ses pensées — ce qui en réalité ne l'aurait pas étonnée de lui.

— Ton prochain mensonge sera peut-être de prétendre que tu n'as pas aimé ça, avança Nash d'un ton railleur.

Cette fois, c'en était trop !

— C'est vrai, je n'ai pas aimé !

— Vraiment ? Eh bien, il n'y a qu'une façon de savoir si tu dis ou non la vérité, n'est-ce pas ? riposta Nash.

Le regard qu'il portait sur elle, tel un lion affamé guettant sa proie, la fit regretter de tout cœur de s'être laissé entraîner dans cette joute verbale que Nash, elle le savait, ne lui permettrait pas de gagner.

— Quelle chance pour moi que Hatton n'ait pas de chambre de torture ! ironisa-t-elle avec mépris.

— Je n'ai pas *besoin* d'une chambre de torture pour prouver que tu es une menteuse, reprit Nash sans sourciller. Je n'ai qu'à faire ceci…

Les yeux de Faith s'agrandirent d'incrédulité lorsqu'il la saisit, l'emprisonna contre son corps et la retint captive tout en penchant la tête vers elle.

Vaillamment, elle pinça les lèvres, gardant obstinément ouverts ses yeux luisant de fierté et de mépris féminins, les laissant exprimer ce que ses lèvres ne pouvaient dire : *« Essaye, si tu l'oses ! »*

— Ouvre.

Nash semblait indifférent à l'intensité de la rage et de l'hostilité qui émanaient du corps tendu de Faith.

— Ouvre la bouche, Faith, répéta-t-il alors que du bout de la langue, il effleurait avec une infime légèreté la ligne fermée de ses lèvres.

La caresse sensuelle, presque amoureuse, de la langue chaude et moite de Nash sur ses lèvres la déconcentra à tel point qu'elle sentit, avec une absurdité honteuse, sa colère s'évanouir et céder la place aux sensations que l'assaut de séduction expérimenté de Nash suscitait en elle.

Elle savait que si elle fermait les yeux, cette émotion s'intensifierait au centuple. C'était sans nul doute la raison pour laquelle elle se mit à trembler, de façon aussi éloquente qu'une jeune fille vivant l'expérience de son premier baiser. Et pourtant, Nash ne l'embrassait même pas encore – pas véritablement, en tout cas. Il ne faisait que jouer avec elle, il l'excitait, il la *provoquait*. Elle sentait sa respiration contre sa peau, s'enivrait de cette fragrance unique qui était la sienne…

Alors, avec une plainte sourde de défaite dont elle n'eut même pas conscience, ses lèvres s'entrouvrirent.

Langoureusement, elle s'accrocha à Nash, sa bouche bougeant avidement contre la sienne, sa main glissant derrière sa nuque pour l'attirer encore plus près d'elle.

Nash. Nash…

Silencieusement, elle prononçait son nom dans un sanglot qui contenait toute la nostalgie refoulée de ses émois d'adolescente, des nuits où elle était restée éveillée en se languissant de lui sans savoir précisément ce qu'elle désirait. Bien entendu, elle connaissait le mystère des rapports amoureux, mais leur réalité restait obscure et elle voyait en Nash le seul homme qui pourrait jamais lui en révéler tous les secrets.

Faith frissonna et elle entendit la respiration haletante de Nash comme si, d'une certaine façon, la violente réaction de son propre corps avait affecté le sien.

Ils s'embrassaient comme elle avait si souvent rêvé qu'ils le feraient un jour, leurs bouches soudées l'une à l'autre, tour à tour se caressant, se goûtant, s'embrassant, se régalant, alors que les petits cris de plaisir qu'elle s'entendait pousser entrecoupaient leurs baisers, dans un concert doux et incohérent de satisfaction.

Puis, tout à coup, brutalement, Nash la repoussa loin de lui.

— Que dois-je faire d'autre pour te prouver que tu es une menteuse, Faith ? T'emmener jusqu'à ma chambre ? Cela ne te déplairait sans doute pas !

Horrifiée, écœurée et incrédule, Faith restait figée, stupéfaite et honteuse des accusations de Nash. Elle ne parvenait ni à se défendre, ni à se justifier. Livide, les yeux assombris par la douleur et l'humiliation, elle n'aurait pu dire qui elle détestait le plus : lui ou elle.

Sur le point de défaillir, elle attendit que tombe le coup fatal. Elle attendit que Nash lui dise sa détermination de révéler à Robert ce qu'elle avait fait mais, sinistrement, il garda le silence.

Elle sentait croître son angoisse. Son estomac était noué et ses yeux étaient irrités et douloureux des larmes qu'elle se refusait à verser.

— Où vas-tu ? interrogea Nash, alors qu'elle tournait les talons et se précipitait aveuglément vers la porte.

— Dans ma chambre. Je suis fatiguée et je veux me coucher, répondit-elle d'une voix mal assurée. Cela ne te regarde pas, Nash. Je n'ai pas de comptes à te rendre. Tu ne me contrôles pas !

Sans marquer la moindre pause, il répondit, la voix teintée d'une menace qui lui donna la chair de poule.

— Vraiment ? Oh, je crois que tu vas vite découvrir que tu me dois plus que des comptes, Faith, et que j'ai plus d'un moyen de te contrôler. Si, par exemple, je disais à Robert ce que tu viens de faire…

— Si ?

Elle ne put réprimer de sa voix la note de douce supplication, alors qu'elle se retournait pour lui faire face.

— Tiens ? Je croyais que tu voulais aller te coucher, railla-t-il doucereusement.

Il s'amusait, comprit Faith. Fort bien ! Elle ne lui donnerait pas la satisfaction de le supplier.

— J'y vais, approuva-t-elle en lui tournant le dos une fois encore, et en marchant résolument vers la porte.

Nash la regarda s'éloigner, laissa échapper le profond soupir qu'il avait retenu avec peine.

Où *diable* avait-elle appris à embrasser comme ça… et avec qui ?

Aucune autre femme ne l'avait jamais embrassé ainsi. Faith, elle, l'avait embrassé comme si elle l'avait attendu une éternité entière… comme si elle avait été privée de lui… comme si elle l'aimait lui et lui seul.

Une femme comme elle, capable de donner pareil baiser incarnait un danger vivant pour n'importe quel homme.

Avec colère, il essaya de la chasser de ses pensées. Ce qu'elle avait fait à son parrain ne lui avait donc rien appris ? Que voulait-elle ? S'offrir à lui pour qu'il ne parle pas à Ferndown ?

Au-delà de sa colère et de son mépris, Nash devinait l'ardeur brutale qui rongeait son corps. Comment pouvait-il désirer Faith, étant donné tout ce qu'il savait d'elle ? Il n'avait jamais désiré une femme pour le sexe uniquement. *Jamais.* Et il ne désirait pas Faith – pas vraiment. Ce n'était que son subconscient qui lui jouait des tours. La voir ici à Hatton ravivait les souvenirs du passé. Un passé où il avait eu envie d'elle.

Combien d'hommes étaient passés dans sa vie depuis cette époque ? Combien d'hommes avaient été victimes de son charme dangereux ? Si le baiser qu'elle lui avait donné parlait de lui-même... il n'était pas étonnant que Ferndown se soit entiché d'elle !

« Ressaisis-toi, se sermonna Nash sévèrement. Tu es venu enterrer le passé, pas le ressusciter ! »

Revenue dans sa chambre, Faith s'effondra sur son lit et serra ses bras autour d'elle dans un geste protecteur.

Pourquoi avait-elle permis que cela arrive ? Pourquoi avait-elle trahi ce à quoi elle tenait le plus ? Pourquoi s'était-elle permis d'oublier la réalité et, pire encore, pourquoi s'était-elle tant émerveillée, enivrée et extasiée du baiser de Nash ? Elle lui avait offert une arme puissante pour qu'il l'utilise contre elle.

Elle n'aurait jamais dû revenir à Hatton... Elle ne serait jamais revenue si elle avait su que Nash serait présent.

Dix ans plus tôt, il lui avait dit qu'il ne lui pardonnerait jamais la mort de son parrain, mais elle n'aurait pu imaginer qu'il la traquerait pour se venger, comme il le faisait aujourd'hui.

Nash regardait les reliefs du dîner auquel il avait à peine touché. Mécontent, il se leva et vida son assiette avant de la rincer et de la placer dans le lave-vaisselle.

Le saumon avait toujours été l'un des mets favoris de son parrain. Vers la fin de sa vie, conséquence de son attaque, il lui avait été de plus en plus pénible de s'alimenter seul. Nash se souvint lui avoir rendu visite le jour de son anniversaire et l'avoir trouvé, prêt à verser des larmes de colère et de fierté, alors qu'impuissant, il fixait le contenu de son assiette.

Pour finir, Nash avait renvoyé l'infirmière et l'avait lui-même aidé à manger. C'était le moins qu'il pouvait faire. Philip avait été le grand-père qu'il n'avait jamais eu, et sa maison, un refuge tout au long de son enfance et de son adolescence, pendant les longues et fréquentes absences de ses parents. Son père était correspondant à l'étranger pour un journal national et sa mère photographe. Comme Philip, ils étaient décédés aujourd'hui. Ils avaient été tués au cours d'une émeute dans l'un des pays où ils avaient été envoyés en reportage.

Philip avait adoré Faith, confiant un jour à Nash qu'elle était la petite-fille qu'il aurait aimé avoir. Il avait témoigné de son attachement envers elle en modifiant son testament, avec l'approbation de Nash, quelques jours seulement avant son agression. Une clause supplémentaire stipulait de fait, qu'une somme d'argent devait être consacrée au financement des études universitaires de Faith ; Nash savait que s'il avait vécu, Philip aurait voulu subvenir à ses besoins jusqu'à ce qu'elle obtienne son diplôme.

Tous trois partageaient un amour immense pour l'architecture ; c'était d'ailleurs la passion de Nash pour les constructions hors du commun qui l'avait amené à acquérir son premier bien immobilier quand il vivait encore à Oxford. Avec l'argent hérité de ses parents, il avait acheté un petit groupe de maisons mitoyennes, davantage parce que leur architecture innovante et séduisante du début du XXᵉ siècle l'avait amusé que par envie de gagner de l'argent en les louant — cette idée lui était venue plus tard.

Au moins, Faith n'avait pas menti à Philip quant à son désir de devenir architecte. Nash fronça les sourcils en se rappelant la détermination avec laquelle son parrain avait lutté contre les séquelles de son attaque pour s'assurer que Nash respecterait son testament.

Le froncement des sourcils de Nash s'accentua. Il était près de minuit. Il était temps d'aller se coucher.

Le corps crispé, les pensées se bousculant dans sa tête, il avait fallu beaucoup de temps à Faith pour s'endormir enfin. Son sommeil fut troublé par un renard qui, le museau levé vers la lune, hurla à la mort dans le jardin. Elle se mit à trembler, tourmentée par la noirceur de ses rêves, leur emprise se faisant si intense que lorsque les glapissements du renard la réveillèrent en sursaut, elle crut qu'elle avait encore quinze ans. Avec soulagement, elle constata qu'elle était bien à Hatton et non dans sa chambre au foyer.

Le foyer !

Elle se redressa, serra les bras autour de ses genoux et, le regard triste, fixa la fenêtre. Elle avait tellement détesté le foyer. Ou plutôt, elle avait détesté toutes les choses auxquelles elle avait été confrontée là-bas.

La convalescence de sa mère avait été beaucoup plus longue que prévue initialement et, en septembre, elle avait dû quitter Hatton et retourner au foyer pour le début de la nouvelle année scolaire.

Les filles de son âge étaient inscrites au collège du village et, comme Faith devait rapidement le constater, les pensionnaires du foyer étaient considérées comme des fauteuses de troubles par l'ensemble des enseignants.

Néanmoins, lorsque ses professeurs avaient découvert sa volonté de travailler et d'apprendre, elle avait gagné leur approbation et leur admiration… ainsi que l'inimitié croissante de la bande des petites pestes du foyer.

Personne n'avait été plus étonné que Faith quand, après des semaines de harcèlement et de raillerie, l'une des filles du gang l'avait abordée et invitée à se joindre à elles, lors de leur virée habituelle du samedi matin dans les boutiques. Naïvement avide d'accepter cette invitation à une réconciliation, Faith les avait accompagnées. Elle n'avait pas d'argent à elle, mais elle était volontiers passée à la caisse avec les achats qu'une autre fille lui avait confiés.

Ce n'avait été que lorsqu'elle les avait retrouvées dans la rue, que Faith avait compris la véritable raison de leur prétendue amitié. Eclatant de rires et de cris stridents, elles s'étaient vantées de l'avoir utilisée comme diversion, tandis qu'elles chapardaient dans les rayons.

Horrifiée, Faith les avait suppliées de rapporter les objets volés, du maquillage essentiellement.

— Payer ? Pourquoi, alors qu'il suffit de nous servir ? avaient-elles rétorqué.

Et alors que, désemparée, Faith les regardait, elle avait soudain pris conscience avec une certaine inquiétude de l'attention que la chef du groupe lui portait, les yeux plissés.

Un peu plus âgée que les autres, et issue — à en croire les rumeurs qui couraient au foyer — d'une famille de malfrats, elle s'était avancée d'un pas décidé vers Faith et l'avait attrapée par les cheveux.

— T'as pas intérêt à cafter, mademoiselle la Snob, parce que si tu fais ça…

Faith serrait les dents pour résister à la douleur. Les larmes perlaient à ses yeux mais elle était déterminée à ne pas montrer combien elle avait mal.

— Parce que si tu fais ça, avait-elle repris en tirant encore les cheveux de Faith d'un coup sec, on dira que c'était ton idée, au départ. Au fait, j'suis sûre que le vieux schnock dans sa grande maison est sacrément riche, pas vrai ? J'parie que sa baraque est *bourrée* de trucs. Il a combien de télés ?

Faith avait secoué la tête et répondu avec honnêteté :

— Je ne sais pas.

Préférant les livres, Philip ne regardait guère la télévision.

— Il a du fric, hein ? avait encore demandé sa tortionnaire. J'suis sûre qu'il en a. Et m'dis pas que t'as rien vu ou que t'as pas été tentée de faucher quelques billets, espèce de sainte-nitouche !

Faith avait protesté :

— Non !

Heureusement, leur bus était alors arrivé et l'autre fille avait dû la lâcher.

— N'oublie pas, avait-elle menacé en montant dans le bus. Tu caftes sur nous et on te règle ton compte…

A présent complètement éveillée et revenue à la réalité, Faith resserra les bras autour de ses genoux.

Elle avait été très perturbée parce qu'elle n'avait pas osé se confier à un adulte à propos du vol dans le magasin. Ce n'était pas la peur qui l'avait retenue, ou tout au moins, pas la peur de représailles physiques. C'était plutôt la crainte de trahir le sacro-saint code d'honneur des adolescentes, honnissant les « rapporteuses », qui l'avait incitée à garder le silence. A un moment pourtant, elle avait été tentée de parler à quelqu'un, se souvint-elle.

Elle ferma les yeux et expira doucement en tremblant.

Le week-end suivant, elle avait été invitée à Hatton et Nash était venu la chercher en voiture.

— Quelque chose ne va pas, crevette ? avait-il demandé de cette manière taquine qu'il adoptait parfois avec elle et qui lui donnait envie de répondre qu'elle était presque adulte.

— C'est…

Elle avait hésité et, alors qu'elle cherchait les mots pour raconter ce qui s'était passé, elle s'était aperçue que l'attention de Nash avait été attirée par une jolie petite brunette qui marchait de l'autre côté de la rue.

Arrêtant sa voiture, Nash avait baissé la vitre et interpellé la jeune femme.

Le sourire que celle-ci lui avait rendu avait confirmé l'opinion de Faith que Nash était tout simplement l'homme le plus beau et le plus sexy qui pût exister. Lorsque la brunette avait traversé la rue pour engager quelque badinage avec Nash, Faith s'était recroquevillée sur son siège, se sentant abandonnée et indésirable.

Ce n'est que lorsque Nash s'était enfin éloigné qu'elle avait compris, malgré les allusions à peine voilées de la jeune fille, que Nash n'avait *aucune intention* de sortir avec elle. Alors, submergée par une bouffée de soulagement et de joie, Faith avait oublié le dilemme dans lequel elle se débattait : devait-elle ou non lui demander conseil ?

Au cours de la décennie qui s'était écoulée depuis, elle s'était demandé, en de nombreuses occasions, si sa vie aurait pu être différente si elle s'était confiée à lui ce jour-là.

Pendant une seconde, des larmes silencieuses brillèrent dans ses yeux mais très rapidement, et avec détermination, elle les chassa. Cela faisait bien longtemps qu'elle ne pleurait plus à cause de Nash Connaught, n'est-ce pas ?

# 4.

— Extrémité de l'allée aux acacias : nymphe portant une jarre…

Debout devant la statue dont elle rédigeait une description, Faith laissa échapper un léger soupir de désarroi. Lorsque ce matin, elle avait entrepris cet inventaire de son propre chef, elle n'avait pas soupçonné le très grand nombre de statues et d'ornements qui agrémentaient les jardins, ni à quel point se retrouver dans ce cadre l'affecterait. Ses souvenirs, qu'elle croyait pourtant avoir prudemment enterrés des années plus tôt, étaient plus vifs que jamais.

Mais ce trouble était-il dû à sa présence en ces lieux ou à Nash ? Nash et cette étreinte, aussi insensée qu'inexplicable, qu'elle l'avait laissé lui imposer la veille au soir ?

*Cesse donc d'y penser*, se réprimanda-t-elle sévèrement. *Cesse de penser à lui !*

C'était Philip, après tout, qui le premier lui avait fait découvrir la magnificence des jardins de Hatton. Nash les avait rejoints plus tard, arrivant par l'allée aux acacias. Les rayons du soleil, perçant à travers la voûte de feuillage vert clair, éclaboussaient de taches de lumière son T-shirt qui, se rappelait-elle bien trop précisément, révélait son cou bronzé et les muscles puissants de ses bras.

Il avait suffi à Faith de le regarder à cet instant pour succomber d'amour et de désir. C'était alors, se souvenait-elle — comment pourrait-elle jamais oublier ? — que Philip avait suggéré à Nash qu'il l'emmène dîner à Oxford.

Muette de confusion et d'émoi, osant à peine respirer, Faith avait prié pour que Nash accepte.

— Est-ce que tu aimes la cuisine italienne ? lui avait-il demandé.

A dire vrai, elle aurait aimé toutes les cuisines du monde, pourvu qu'elle puisse dîner en sa compagnie. Aujourd'hui encore, en se remémorant cet épisode, une image se dessinait nettement dans son esprit : l'amusement narquois sur le visage de Nash, qu'elle n'avait pas compris, lorsque dans un souffle, elle avait acquiescé avec ferveur.

Oh, bien sûr, Nash savait ce qu'elle éprouvait pour lui ! Mais avait-elle seulement tenté de dissimuler ses sentiments… son amour ?

Nash l'avait emmenée à Oxford, dans sa voiture de sport rouge vif et, s'il avait éprouvé un quelconque ressentiment envers son parrain qui l'avait ainsi manipulé, il n'en avait rien laissé paraître et s'était comporté en parfait gentleman.

Cet été-là, le temps avait été particulièrement ensoleillé et la soirée était douce et parfumée. En cette période de vacances, les rues fourmillaient de touristes, tandis que les universités avaient été désertées par leurs étudiants. Nash s'était garé à proximité de sa faculté et Faith, les yeux avides, en avait admiré les bâtiments magnifiques ainsi que tous les autres devant lesquels ils étaient passés pour rejoindre le restaurant. Tant d'hommes et de femmes célèbres avaient étudié dans ces murs !

Installé dans une jolie courette, le restaurant italien se cachait dans une ruelle, à l'écart. La *patrone*, une italienne joviale d'âge moyen, les avait conduits à une table d'où ils pouvaient observer les autres clients, tout en jouissant d'une certaine intimité.

C'était la première fois que Faith goûtait à la véritable cuisine italienne, et la première fois qu'elle allait dans un restaurant. Nash s'était gentiment moqué d'elle, alors qu'elle se débattait avec ses spaghettis, avant de rapprocher sa chaise et de lui montrer l'art de les enrouler sur la fourchette.

Le regarder faire avait été une chose, l'imiter en avait été une autre ! Et finalement…

— Non, pas comme ça, avait-il dit.

Il avait souri en la voyant s'évertuer à l'imiter.

— Attends, laisse-moi te montrer.

Alors, comme dans un rêve, la main de Nash s'était posée sur la sienne et l'avait guidée.

— Crois-tu que tu y arriveras à présent ? avait-il demandé quelques secondes merveilleusement étourdissantes plus tard. Ou est-ce que je dois te nourrir moi-même ?

A quinze ans, elle avait été bien trop jeune et trop innocente pour saisir la connotation sexuelle de sa question et, de toute façon, elle savait bien que Nash n'avait pas eu l'intention d'en faire une invitation sensuelle à la nourrir comme un *amant*. En revanche, elle n'avait pu s'empêcher de fixer son compagnon, les yeux débordant d'un sentiment d'amour.

De toute évidence, cela avait été la raison pour laquelle Nash avait brusquement retiré sa main, puis reculé sa chaise en disant d'un ton cassant :

— Tu aurais peut-être dû choisir quelque chose de plus facile à manger pour toi.

Mais même cette remarque n'avait pas eu le pouvoir d'endiguer sa plénitude presque euphorique.

Les nuances subtilement adultes des manières de Nash envers elle, nuances qu'elle n'avait pas comprises à cette époque, parce qu'elle était trop absorbée par l'intensité passionnée d'un amour qu'elle désespérait de partager, lui apparaissaient aujourd'hui dans toute leur réalité vive et douloureuse.

Ce qu'elle avait vécu comme une soirée romantique exceptionnelle, partagée par deux personnes destinées à s'aimer, n'avait certainement constitué pour Nash que l'acquittement d'un devoir.

La nuit était tombée, lorsque plus tard, ils avaient regagné la voiture, Faith marchant aussi près de Nash qu'elle pouvait l'oser. Nash, quant à lui, s'efforçait de maintenir une certaine distance, aussi infime fût-elle, entre leurs corps. Mais lorsqu'ils étaient parvenus à un carrefour très fréquenté où, étrangement, les feux tricolores ne fonctionnaient pas, il avait saisi sa main.

Partager avec Nash une telle intimité physique, pour la seconde fois dans la même soirée, avait fait connaître à Faith un tel summum d'émotions qu'elle avait été incapable de s'imaginer pouvoir être plus heureuse... à moins bien sûr, que Nash réalise ses rêves les plus fous et l'embrasse.

Ses rêves les plus fous ?

La réalité du baiser de Nash avait davantage ressemblé à son pire cauchemar, songea Faith amèrement en se dirigeant vers l'élégant jardin italien dont les haies de buis entouraient une pièce d'eau d'inspiration classique.

Comme le lui avait expliqué Philip, le jardin tenait son nom de ses ornements rapportés d'Italie. Chaque angle du bassin était orné d'une sculpture représentant un jeune garçon chevauchant un dauphin, un jet d'eau jaillissant de la bouche du cétacé.

Certaines mesures devraient être prises afin de sécuriser l'accès à ce bassin et protéger les enfants, songea Faith en rédigeant une note rapide sur son calepin.

L'un des dauphins lui sembla légèrement différent des autres. Etonnée, elle s'approcha. Le grain et la couleur de la pierre n'étaient effectivement pas les mêmes, constata-t-elle en s'agenouillant pour l'examiner de plus près.

— Si tu prévois ce que je *te soupçonne* de prévoir, tu peux l'oublier tout de suite. Quelqu'un a déjà essayé et voilà le résultat.

Le dauphin qu'il a essayé de voler s'est brisé en mille morceaux et celui que tu examines est une copie.

Le son inattendu de la voix âpre de Nash la fit sursauter. Blessée par le sous-entendu de ses paroles acerbes, elle se releva aussitôt et se tourna pour l'affronter.

Sans lui laisser la moindre chance de répondre, Nash poursuivit froidement :

— Que fais-tu ici de toute façon, Faith ? Je croyais que ton travail consistait à élaborer un projet d'aménagement de la maison, certainement pas de jeter un coup d'œil au jardin… et à son contenu !

— Je voulais une liste de tous les ornements…

Mais sans qu'elle puisse terminer ses explications, Nash lui avait coupé la parole, s'exclamant avec dérision :

— Oh, ça je n'en doute pas ! Malheureusement pour toi, j'ai surpris ton petit jeu. Comme je te l'ai déjà dit, quelqu'un a eu la même idée avant toi et a essayé de s'approprier ces quatre statues, expliqua-t-il en désignant les dauphins d'un geste de la main.

— Je ne…

Une fois encore, Nash ne lui permit pas de terminer.

— Ton patron a téléphoné. Il voulait te parler. Manifestement, il croyait te trouver en train de travailler, tout comme moi d'ailleurs. Il m'a demandé de te prévenir qu'il passerait, en fin d'après-midi. Je ne doute pas qu'à son arrivée, poursuivit Nash d'un ton mielleux, il voudra savoir à quoi tu as occupé ta journée.

Si elle avait pu déceler le sous-entendu moqueur du discours de Nash, elle refusait catégoriquement de lui donner la satisfaction de le lui faire savoir. Et il y avait *un* point en particulier qu'elle avait bien l'intention de rectifier.

— Pour ton information, commença-t-elle avec détermination avant que Nash l'interrompe de façon péremptoire.

— Qu'y a-t-il « pour mon information » ? Je possède déjà toutes les informations dont j'ai besoin ou que je pourrais souhaiter sur tout ce que tu pourrais faire ou dire, Faith. Autre chose, Mme Jenson n'est pas à ta disposition pour cuisiner ou passer derrière toi !

C'en était trop ! Nash dépassait les bornes !

— Alors, pourquoi est-elle là, Nash ? Pour m'espionner ? C'est sans doute la raison pour laquelle je l'ai surprise dans ma chambre, ce matin ?

Elle sut à l'expression de son visage qu'il n'avait pas apprécié sa remarque. Tant pis ! Croyait-il *vraiment* pouvoir lui asséner insulte après insulte sans qu'elle se défende ?

— Elle rapportait probablement le linge que tu lui avais laissé à laver, rétorqua Nash, les sourcils froncés.

— Tu veux sans doute parler des vêtements que j'ai laissés dans la buanderie en attendant que la machine à laver ait terminé de tourner ? corrigea Faith, ajoutant encore avant qu'il puisse l'interrompre :

— N'est-ce pas l'arrangement que la Fondation avait passé avec les administrateurs, stipulant que pendant mon séjour ici, je pouvais utiliser les appareils ménagers de la maison ?

— Cela n'inclut pas les services de la gouvernante, riposta Nash.

— Je faisais allusion à la machine à laver, pas à Mme Jenson !

Faith passa une main dans ses cheveux, irritée de constater qu'elle ne pouvait tenir une conversation, un tant soit peu normale et rationnelle, avec Nash.

Mais ses remarques lui avaient rappelé autre chose. Du bout des lèvres, elle demanda :

— J'apprécierais que tu me donnes un plan de niveau de la maison, si tu en possèdes un.

— Tu veux dire que cela t'épargnera la peine de le dessiner toi-même et qu'ainsi, tu pourras utiliser ton temps de façon bien plus avantageuse, de ton point de vue s'entend, en passant en revue les biens les plus faciles à dérober et à revendre de la propriété. Eh bien, pour ton information…

— Non ! Pour *ton* information…, coupa-t-elle prestement, copiant sa méthode agressive d'attaque, laisse-moi te dire que la seule raison pour laquelle je regardais les ornements du jardin…

Une brise soudaine souleva les pages de son bloc-notes posé par terre à côté d'elle, attirant l'attention de Nash.

Instinctivement, Faith se pencha pour le ramasser mais Nash fut plus rapide. L'expression qu'elle lut dans ses yeux alors qu'il parcourait la liste qu'elle avait dressée était si dédaigneusement méprisante que, sottement, elle eut envie de pleurer.

— Ne dis rien ! lâcha Nash, alors que calmement il déchirait la liste en deux, puis encore en deux. Je suis vraiment heureux que Philip n'ait pas vécu pour voir ce que tu es devenue. Il te faisait confiance, Faith !

— Et je n'ai jamais trahi sa confiance, lança-t-elle avec véhémence.

Elle s'arrêta en voyant le regard que Nash lui portait.

A quoi bon essayer seulement de lui parler ?

Alors, elle tourna les talons et se précipita vers la maison.

Faith se sentait apaisée. Pour oublier son altercation avec Nash, elle s'était rendue en ville où elle avait déjeuné d'un délicieux sandwich et avait déniché un ouvrage passionnant signé d'un historien de la région, et incluant des dessins très détaillés de Hatton, à l'époque de sa construction.

Son téléphone portable se mit à sonner et le numéro de Robert s'afficha à l'écran.

— Je quitte Londres à l'instant, annonça-t-il. Alors si la circulation n'est pas trop mauvaise, je devrais bientôt arriver. Quelles sont les dernières nouvelles ? Au fait, je vous remercie de votre message au sujet des ornements du jardin. Je ne sais pas encore exactement ce que nous allons faire. Je demanderai à Nash ce qu'il en pense. Mais, s'ils doivent rester dans le jardin, il faudra assurément prendre certaines mesures pour les protéger.

Son flot de paroles s'arrêta soudain, sa voix se transforma :

— Je vous ai manqué ? demanda-t-il.

Comme Faith ne répondait pas, il glousssa, ajoutant encore plus doucement :

— Ne me répondez pas tout de suite. Vous me le montrerez plus tard.

Il avait raccroché avant que Faith ait pu ajouter un mot.

Faith croisa de nouveau Nash peu après, dans la cuisine, alors qu'elle se préparait une tasse de café.

— Avant que tu dises quoi que ce soit, lança-t-elle, sache que j'ai acheté le café et que j'ai la permission des administrateurs d'utiliser la cuisine.

Avec sarcasme, elle ajouta :

— Je suppose que tu étais trop occupé pour assister à cette réunion des administrateurs !

Elle se tourna pour ranger le lait — son lait, payé de sa poche — dans le réfrigérateur. Puisque Nash avait déclaré les hostilités, elle allait lui montrer qu'elle ne reculait, ni ne s'avouait vaincue facilement !

— Faith…

— Peut-être devrais-je demander à Robert de leur faire part des… difficultés que je rencontre en travaillant ici, poursuivit-elle comme pour elle-même. Bien qu'ils aient fait don de Hatton à la Fondation…

Elle n'avait pas l'habitude de recourir aux menaces, ni d'affronter l'hostilité d'autres personnes, mais Nash ne lui laissait guère d'alternative.

Elle puisait un certain réconfort dans le fait que Nash n'était pas le seul administrateur de la succession de Philip, même si elle ignorait totalement qui étaient les autres. Qui qu'ils soient, elle avait bien des raisons de leur être reconnaissante. Sans le soutien financier qu'ils lui avaient apporté, elle n'aurait jamais pu envisager de poursuivre ses études. Elle n'aurait pas eu non plus l'opportunité d'effectuer ce stage d'été à Florence — son directeur d'études lui avait confié que ce séjour avait été arrangé grâce à l'intervention bienveillante de l'un des administrateurs.

A cette époque, elle ignorait que Nash était l'un d'entre eux mais elle imaginait parfaitement combien il avait dû être furieux de devoir faire ce geste en sa faveur ! Elle n'ignorait pas, cependant, qu'il aurait suivi à la lettre les termes du testament de Philip. Nash était ainsi.

— Faith !

Nash l'interrompit d'une voix si sévère, si déterminée qu'elle fut bien forcée de l'écouter.

— Je voulais juste te dire que j'avais sorti les plans de la maison. Tu les trouveras sur le bureau de Philip.

Faith resta interdite quelques secondes. Nash lui parlait comme s'il s'adressait à un être normal et non à son ennemie jurée ! Elle ouvrit la bouche puis la referma, mais les bonnes manières, inculquées par sa mère, l'obligèrent à le remercier malgré tout son ressentiment.

Bien plus tard dans l'après-midi, alors qu'elle étudiait les plans dans sa chambre, elle entendit la voiture de Robert arriver. Abandonnant son travail, elle descendit à sa rencontre.

— Excusez-moi d'avoir mis tout ce temps pour vous rejoindre ! s'exclama-t-il lorsqu'ils se retrouvèrent dans le vestibule. La circulation était épouvantable !

— Au moins, vous êtes arrivé, déclara Faith.

— Mmm... mais pas pour longtemps, je le crains. L'aménagement de Smethwick House pose problème après problème et j'ai bien peur d'être dans l'obligation de vous abandonner à vous-même, jusqu'à nouvel ordre. N'ayez pas l'air aussi triste, ajouta-t-il avec un sourire en lisant l'expression de son visage. J'ai tout à fait confiance en vous.

A quoi bon, puisque Nash ne partageait pas le même avis ? Et c'était avec ce dernier qu'il lui faudrait traiter au jour le jour, se désola Faith tandis que Robert poursuivait sa litanie et lui expliquait qu'il avait réservé une table dans un restaurant des environs, au bord d'une rivière.

— Nous aurons toute latitude de discuter au cours du dîner, dit-il d'un air réjoui, mais je dois au préalable m'entretenir avec Nash. Je suis heureux qu'il ait décidé de rester avec vous quelque temps. La maison est relativement isolée et je n'aime guère l'idée de vous savoir seule ici.

Qu'un homme se montre aussi prévenant à son égard était une expérience nouvelle pour Faith. Nash, sans aucun doute, aurait adopté une tout autre position, soulignant que le monde entier devrait être protégé *d'elle* et non le contraire.

Ayant convenu de retrouver Robert une heure plus tard, au pied de l'escalier, Faith retourna travailler dans sa chambre.

Elle entreprit de vérifier sur les plans les dimensions des chambres du premier étage, notant les pièces suffisamment vastes pour accueillir une famille et celles mieux adaptées à une personne seule.

La Fondation souhaiterait probablement conserver en l'état la salle de billard, au rez-de-chaussée, estima-t-elle. En revanche, le court de tennis risquait d'être trop onéreux à rénover, puis à entretenir, aussi traça-t-elle un point d'interrogation dessus.

Pleinement absorbée, elle ne vit pas l'heure passer et sursauta en jetant un coup d'œil à sa montre. Il lui restait à peine quinze minutes pour se préparer.

Prestement, elle prit une douche, enfila une ravissante robe de lin noir, brossa ses cheveux, appliqua quelques touches discrètes de maquillage et réussit à être prête à temps !

Malgré sa blondeur naturelle, sa peau bronzait facilement et l'été ensoleillé l'avait embellie d'un éclat mordoré. Sa robe chasuble, aux lignes sobres, révélait le hâle délicat de ses jambes et de ses bras nus.

Pour se protéger de la fraîcheur de la soirée, elle drapa sur ses épaules une étole de soie couleur fuchsia, achetée sur un coup de cœur, pendant les soldes. Caressant légèrement la douceur de l'étoffe, elle se sentit à la fois très féminine et très extravagante. Sa mère aurait adoré la voir ainsi parée.

Elle hésita puis ouvrit sa boîte à bijoux, et mit à ses oreilles les minuscules diamants enchâssés dans une monture en or qu'elle avait reçus pour son vingt et unième anniversaire, un cadeau des plus inattendus.

Elle se rappelait encore nettement sa surprise et son immense joie lorsqu'elle avait ouvert le petit paquet arrivé par la poste et lu la carte glissée à l'intérieur.

« Félicitations pour votre vingt et unième anniversaire et pour l'excellence de vos résultats universitaires », disait le mot qui accompagnait l'écrin. En lieu et place de la signature, un très formel : « Administration de la succession de Philip Hatton » était écrit à la machine.

Cette attention de la part des administrateurs anonymes avait tellement signifié pour elle. Elle se rappelait encore son bonheur de porter ces boucles d'oreilles quand elle était sortie fêter son anniversaire avec ses amis de l'université.

Robert l'attendait dans le hall. Il leva les yeux vers elle et la regarda avec admiration descendre l'escalier.

S'il ne possédait pas l'empreinte de sexualité pleine d'arrogance masculine de Nash, il était néanmoins un homme extrêmement séduisant, en plus d'être une personne très sympathique, reconnut Faith en lui adressant un sourire.

— Vous êtes ravissante vêtue de noir, la complimenta-t-il lorsqu'elle l'eut rejoint. Cette couleur vous sied à merveille !

Du coin de l'œil, Faith aperçut Nash qui sortait du salon. Elle supposa qu'il avait entendu le compliment de Robert, même s'il préféra s'abstenir de toute remarque.

Elle devina, à juger l'attitude de Robert envers elle, que Nash ne lui avait pas encore révélé son passé, ou plutôt l'interprétation qu'il en avait. Mais ce ne serait qu'une question de temps avant qu'il le fasse, aussi décida-t-elle de prendre les devants : elle parlerait à Robert au cours du dîner. A cette idée, elle sentit son estomac se nouer. La honte de cette tragédie jetterait toujours une ombre sinistre sur sa vie et elle haïssait la perspective de devoir la ressusciter.

Le restaurant où Robert l'emmena était bondé et manifestement très à la mode. C'était le genre d'endroit où tenir une conversation privée relevait de l'exploit et Robert adressa à Faith un regard triste en suivant le maître d'hôtel qui les conduisait à leur table.

— Je ne savais pas qu'il y aurait autant de monde. J'ai demandé à Nash s'il pouvait me conseiller un restaurant mais je crains qu'il ne m'ait pas vraiment compris, soupira-t-il.

C'était l'occasion dont elle avait besoin ! Timidement, elle s'enquit :

— Savez-vous combien de temps encore Nash compte rester à Hatton ? Après tout, puisque les administrateurs ont fait don de la propriété à la Fondation, il n'a plus vraiment de raison de rester, n'est-ce pas ?

« Aucune raison à vrai dire, autre que celle de me tourmenter », acheva-t-elle en elle-même.

— Eh bien, commença Robert, pour l'instant les administrateurs, ou plutôt Nash devrais-je dire, puisqu'il est le seul administrateur de la succession de son parrain…

Faith suffoqua d'incrédulité.

— Quelque chose ne va pas ? demanda Robert.

— Nash est le seul administrateur ? répéta-t-elle.

— Oui, bien sûr. Et c'est d'ailleurs lui qui a contacté la Fondation. Manifestement, il est particulièrement soucieux des besoins des enfants issus de milieux défavorisés mais comme il me l'a affirmé lui-même, il veut s'assurer que la Fondation sera bien le meilleur bénéficiaire de Hatton avant de finaliser les démarches. Je dois admettre qu'au point où nous en sommes, je détesterais devoir renoncer à cette propriété. J'étais tellement heureux d'annoncer au comité de la Fondation que j'avais décroché une telle donation !

Il adressa un sourire piteux à Faith.

— La plupart des membres me connaissent depuis que je suis enfant et j'ai bien peur qu'ils me considèrent encore comme tel. Je compte sur vous Faith, pour impressionner Nash avec vos projets de transformation ! J'ai entendu beaucoup de bien de votre travail et je comprends parfaitement pourquoi.

Chaque mot que prononçait Robert ne faisait qu'ajouter à l'anxiété de Faith. Depuis combien de temps Nash était-il le seul administrateur de la succession de Philip ? s'interrogea-t-elle, sidérée. Depuis peu, probablement.

— Au fait, poursuivait Robert, j'ai fait part à Nash de votre préoccupation au sujet des statues et des ornements du jardin. Je lui ai dit que vous feriez un inventaire complet. Pour l'instant, la maison et l'ensemble de ses biens, sont couverts par l'assurance payée par la succession. Mais dès que Hatton nous reviendra légalement, il incombera à la Fondation de tout prendre en charge. J'ai demandé à Nash s'il songeait conserver certains des objets les plus précieux, mais il préfère que tout reste avec la maison.

— Je compte sur vous, Faith, pour faire un travail de premier choix à Hatton, répéta Robert. Beaucoup dépend du succès de notre acquisition de la maison, tant pour vous que pour moi. Comme je l'ai déjà dit, ce sera une réussite dont je pourrais me féliciter et je m'assurerai que vous serez récompensée à juste titre… Et je suppose que le fait que Nash et vous, vous connaissiez, jouera en notre faveur ! conclut-il en gloussant.

Il était parfaitement inconscient de ce que Faith éprouvait et pensait à cet instant. Elle se sentait prête à exploser d'un rire hystérique à mesure qu'augmentait le poids des responsabilités qu'il lui demandait d'assumer.

— Robert… Je ne crois pas…

Elle chercha les mots justes pour expliquer la réalité de la situation mais Robert tendit le bras à travers la table, saisit doucement sa main et la serra.

— Cessez de vous inquiéter, dit-il. Je sais que vous êtes la personne qu'il faut pour ce travail. Après tout, n'est-ce pas moi qui ai décidé de vous employer ? Vous pouvez mener ce projet à bien, Faith, je le sais ! Le reste du comité considère peut-être que nous aurions dû recruter quelqu'un de plus expérimenté, et un homme de surcroît, mais je crois que vous allez prouver qu'ils ont eu tort et que j'ai eu raison !

Le découragement de Faith s'intensifiait à chacune de ses paroles. Comment pourrait-elle lui avouer la vérité à présent ? Comment pouvait-elle l'abandonner ? Elle avait ignoré jusqu'à cet instant que la donation de Hatton à la Fondation n'était pas finalisée, ni que Robert avait dû batailler avec ses collègues du comité pour l'engager.

Elle n'avait plus d'alternative désormais. Il ne lui restait plus qu'une seule décision à prendre, même si celle-ci allait totalement à l'encontre de ce que sa fierté lui intimait de faire. Elle allait devoir faire appel à Nash, implorer son attention, par égard pour Robert, parce qu'elle lui devait le soutien qu'il lui apportait, et par égard aussi pour toutes les personnes qui bénéficieraient de ce que la Fondation ferait de Hatton.

— Vous ne mangez pas ? questionna Robert avec sollicitude alors qu'elle touchait à peine au contenu de son assiette.

Pour répondre, elle mentit :

— J'ai pris un déjeuner copieux.

Pourquoi la vie lui jouait-elle ce mauvais tour ? Pourquoi ?

# 5.

Nash regarda sa montre avec irritation. Faith n'avait-elle donc pas compris, lorsqu'elle était partie avec Robert, que n'ayant pas de clés de Hatton, elle l'obligeait à attendre son retour pour verrouiller la maison pour la nuit ?

Sa mauvaise humeur ne fit que croître lorsqu'il se rappela le regard de Robert, empli d'un espoir et d'un désir de mâle, quand il lui avait annoncé, au cours de leur conversation, qu'il invitait Faith au restaurant.

— Je dois discuter de plusieurs choses avec elle et, puisque nous devons dîner tous les deux, autant joindre l'utile à l'agréable !

Mais Nash connaissait suffisamment ses semblables masculins pour deviner que les réelles motivations de Robert étaient à mille lieues de tout aspect pratique ; quant à Faith, à en juger sa tenue vestimentaire, nul doute aussi qu'elle avait des pensées radicalement autres que professionnelles.

La robe noire qui dessinait sa silhouette semblait être un modèle de haute couture et l'étole dont elle avait couvert ses épaules avait un aspect soyeux, sans égaler toutefois le satiné de sa peau délicatement hâlée ; des diamants brillaient à ses oreilles…

Une ombre amère, presque tourmentée, voila le regard de Nash à la pensée des boucles d'oreilles de Faith. La jeune femme aurait été stupéfiée de connaître la raison de cette soudaine amertume.

Du bureau, où il s'efforçait de travailler depuis une bonne heure sans parvenir à fixer son attention, Nash avait une vue parfaite sur l'allée peu à peu envahie par l'obscurité, qui reliait la maison à la route principale – allée par laquelle Faith reviendrait.

Il avait été pris au dépourvu, lorsque Robert avait abordé la question des statues du jardin, affirmant que Faith se souciait de leur protection, non seulement contre tout vol éventuel, mais aussi contre toute dégradation malencontreuse de la part des enfants et de leurs parents.

— Je dois avouer que je n'avais pas conscience de la valeur et du caractère unique de certaines d'entre elles, avait admis Robert d'un air piteux. Faith a raison ! Si ces ornements doivent rester dans le jardin, nous devons trouver un moyen de les protéger. Il nous faudra les répertorier, puis…

— J'ai déjà une liste, avait interrompu Nash brusquement. C'est obligatoire pour les assurances !

S'était-il *trompé* au sujet de Faith ? Une lueur morne assombrit son regard. Il recommençait, une fois encore… Il lui cherchait des excuses… Il essayait de…

Il ferma les yeux. Lui seul savait, et lui seul saurait jamais, ce qu'il avait enduré lorsque sur une impulsion, un instinct… quelque chose qui avait semblé trop urgent pour être analysé, il était revenu précipitamment d'une réunion d'affaires à Londres, et avait découvert, dans cette même pièce, après avoir franchi le cercle protecteur des jeunes filles qui les entouraient, son parrain gisant sur le sol et Faith penchée au-dessus de lui, son portefeuille dans les mains et, sur le visage, une expression de fureur et de culpabilité mêlées.

Plus tard, alors qu'il attendait au poste de police que Faith et ses complices soient interrogées et inculpées — ce qui avait nécessité deux longues heures puisque, étant toutes mineures et considérées non responsables, la présence d'un parent ou d'un tuteur était nécessaire — le sergent lui avait témoigné sa sympathie et conseillé de ne pas se sentir coupable.

— Ces petites voleuses, on leur donnerait parfois le bon Dieu sans confession, avait-il dit pour réconforter Nash. Mais nous, nous voyons leur autre facette et croyez-moi, elles peuvent être parfois plus violentes et plus grossières que les garçons, si ce n'est pires !

— Mais mon parrain adore Faith ! avait protesté Nash, encore incapable de comprendre ce qui s'était passé. Je ne peux pas croire qu'elle lui ait fait quelque chose comme ça !

Ce qu'il voulait dire en réalité, c'était qu'il aimait Faith lui aussi. Il ne pouvait admettre qu'elle ait pu faire quoi que ce soit qui le détruirait autant, lui et ce qu'il croyait qu'ils partageraient un jour, quand elle serait devenue assez grande.

La réponse du sergent ne lui avait laissé aucune illusion :

— Vous seriez surpris. Selon les déclarations de toute la bande, celle que vous avez trouvée tenant le portefeuille de votre parrain était la meneuse. C'est elle qui avait tout prévu. Vous dites qu'elle a habité chez vous pendant l'été ?

— Oui, avait confirmé Nash, hébété. Elle est venue à l'occasion d'une visite avec les jeunes filles du foyer et mon parrain l'a invitée à rester. Il avait de la peine pour elle. Sa mère…

Le sergent avait soupiré et secoué la tête.

— Sacrée mauvaise réputation, ce foyer ! Nous avons enregistré des plaintes de vols commis par les pensionnaires dans les magasins du quartier. Elles viennent en bande…

Il s'était tu lorsque la directrice du foyer était entrée dans la salle d'attente en compagnie d'une femme officier.

Incapable de se retenir, Nash s'était précipité vers elles, leur demandant, les suppliant presque :

— Faith… ? A-t-elle… ? Est-elle… ?

— Elle refuse toujours d'avouer sa participation, avait répondu la directrice avec lassitude. Je dois reconnaître que je n'aurais jamais cru… Mais c'est une fille très intelligente, et parfois ce sont celles-ci qui… Elles sont tellement plus réfléchies que les autres, vous comprenez ? Elles ont une telle énergie mentale… et elles ne savent pas comment la dépenser ! avait-elle conclu simplement.

— Bien sûr, elle a dû voir les possibilités lorsqu'elle rendait visite à votre parrain et séjournait chez lui, et j'imagine que la tentation a été trop forte pour elle, surtout étant donné les circonstances. Sa mère souffre d'une très longue maladie et leur situation financière est extrêmement précaire… Tout ceci génère souvent une forme dangereuse de rancœur.

Elle avait ensuite fixé le sol, avant d'ajouter avec gêne :

— Elle a demandé à vous voir. Elle affirme…

Elle s'était tue.

— Elle prétend être la victime de la méchanceté des autres filles et avoir essayé de défendre votre parrain, non de le voler. Mais les autres sont formelles : c'est elle qui a tout planifié et je dois reconnaître que les faits vont en ce sens.

— Je ne veux pas la voir, avait aussitôt déclaré Nash, conscient qu'il porterait toujours en lui la scène qui s'était jouée sous ses yeux, dans le bureau de Philip.

Le fil du téléphone avait été coupé, mais heureusement il avait son portable avec lui. Encore rares à cette époque, il en avait acheté un par commodité, parce qu'il ne disposait pas encore de bureaux et devait néanmoins gérer ses affaires.

Il avait appelé les services de secours, après s'être enfermé avec les filles dans le bureau. L'une d'elles avait sorti un couteau mais il l'en avait prestement délestée.

Alors qu'elles crachaient des menaces et des injures, Faith était restée muette, comme pétrifiée. Ce ne fut qu'après que les ambulanciers eurent emmené Philip et que la police fut arrivée qu'elle avait enfin parlé.

Blême de terreur, regardant tour à tour les policiers et Nash, elle l'avait supplié de l'écouter, de comprendre, de croire qu'elle n'avait rien à voir avec cette agression.

— Tu tenais son portefeuille ! avait rappelé Nash avec rage.

— J'essayais de *l'aider*, avait-elle protesté.

— Ne la croyez pas ! avait alors hurlé l'une des filles. C'est elle qui nous a fait venir ici… Elle a dit que ce serait facile de faucher. C'est elle qui nous a affirmé que le vieux serait seul !

En silence, Nash avait scruté le visage de Faith. Malgré l'accumulation de preuves contre elle, il avait désespérément voulu croire à son innocence, mais l'expression de culpabilité dans ses yeux la trahissait.

Ignorant ses appels implorants, il avait rejoint l'ambulance, pendant que la police emmenait les suspectes.

A l'hôpital, il avait appris que Philip avait été victime d'une attaque d'apoplexie provoquée, selon toute vraisemblance, par le choc de l'agression. Il vivrait, avaient assuré les médecins, sans toutefois se prononcer sur les séquelles possibles.

Si Faith avait fait preuve du moindre remords, si elle lui avait donné ne fût-ce qu'un semblant d'explication, au lieu de lui mentir si effrontément, peut-être aurait-il alors cédé et accepté de la voir. Mais étant donné les circonstances…

— Que va-t-il lui arriver ? s'était-il enquis auprès du sergent.

— Elle sera envoyée dans un centre de détention préventive jusqu'à ce qu'elle passe devant un tribunal pour enfants. Ensuite, ce sera à la cour de décider de sa condamnation et si, oui ou non, elle effectuera une peine de prison.

Nash avait fermé les yeux, déchiré entre des émotions conflictuelles. Il aurait dû être présent, aux côtés de son parrain, pour le protéger. Si seulement il avait été là…

Sombrement, il avait tourné le dos et était parti. Il ne parvenait toujours pas à admettre le forfait de Faith et il savait que s'il n'avait pas vu la scène de ses propres yeux, il ne l'aurait jamais imaginée possible. Son parrain avait eu confiance en Faith, il l'aimait… Quant à lui…

Il avait regagné sa voiture, le regard voilé d'une expression attristée.

Faith avait quinze ans – il l'avait crue naïve et innocente, devant être tout à la fois protégée de ce désir qu'elle éprouvait pour lui et qu'elle avait si ouvertement exprimé, et préservée du besoin croissant qu'il ressentait d'y répondre.

Comment avait-il pu être aussi crédule ? Elle avait sans doute délibérément prévu de le tromper et de profiter de lui dès leur première rencontre. Physiquement, elle était déjà adulte pour son âge ; mentalement, elle était intelligente et cultivée, peut-être même davantage que la plupart des jeunes hommes qu'il connaissait.

Il avait pris plaisir à leurs discussions au cours des repas, s'amusant de la passion qu'elle mettait dans chaque aspect de sa vie et il avait attendu, avec impatience, le jour où les barrières qui les séparaient pourraient être décemment levées et où il pourrait alors lui montrer comment il avait prévu de répondre à tous les petits messages innocents et sexy d'attente et de provocation qu'elle lui avait lancés, cet été-là.

Il ne l'avait pas seulement désirée physiquement. Il l'avait aimée, tout simplement. Sa trahison l'avait blessé, le détruisant presque à tout point de vue.

L'attaque d'apoplexie avait gravement affecté la capacité à s'exprimer de Philip, qui ne devait jamais complètement recouvrer l'usage de la parole. Dans les jours qui avaient suivi l'agression, chaque fois que quelqu'un avait essayé de l'interroger, il s'était agité, ne parvenant qu'à articuler : « Faith… Faith… »

Afin de ne pas risquer une seconde attaque qui pourrait s'avérer fatale, Nash avait exigé qu'il ne soit plus questionné.

Il avait appris des autorités que Faith avait échappé à la prison ferme, essentiellement parce qu'il s'agissait de sa première condamnation, et parce que Nash lui-même avait plaidé la clémence.

Aujourd'hui encore, il répugnait à reconnaître qu'il avait été coupable d'une telle faiblesse, mais la perspective qu'elle puisse être condamnée l'avait profondément affecté. Aussi, malgré toute sa colère, son mépris et son amertume, il avait néanmoins intercédé en sa faveur.

C'était ce que Philip aurait souhaité, s'était-il dit, alors que son parrain luttait péniblement pour se faire comprendre, refusait d'accepter que Faith soit punie de quelque façon, et ânonnait que les autres filles l'avaient manipulée… forcée.

Nash avait désespérément souhaité partager la certitude de Philip, mais il n'était pas dupe. N'avait-il pas lu la culpabilité dans les yeux de Faith, et n'avait-il pas entendu les accusations sans équivoque de ses complices ?

Nash avait redouté la seconde attaque d'apoplexie, plus grave, qui avait frappé Philip et précipité sa mort. Il restait convaincu que le décès de son parrain résultait de son agression et tout ceci pour quoi ? Pour quelques maudites livres sterling. Car malgré ce que tout le monde avait pu croire, Philip n'était pas un homme riche. Il possédait Hatton et ses jardins certes, mais plusieurs mauvais placements financiers après sa retraite avaient largement entamé son capital et dans les dernières années de sa vie, c'était Nash qui avait subvenu à ses besoins, ainsi qu'aux besoins de Faith.

Il se figea en voyant apparaître la voiture de Robert au bout de l'allée.

A peine Robert s'était-il garé devant la maison que Faith se prépara à descendre de voiture. Ils étaient partis plus longtemps qu'elle ne l'avait prévu, et il était près de minuit.

— Permettez que je vous accompagne, proposa Robert en ouvrant sa portière.

Faith était très préoccupée par tout ce dont il lui avait fait part au cours du dîner, et ses yeux étaient aussi sombres que le jardin alors qu'elle se dirigeait vers la maison.

— Pas si vite ! protesta Robert en se précipitant derrière elle et en saisissant sa main, avant qu'elle ait le temps de comprendre ses intentions.

— Je sais que nous ne nous connaissons pas depuis longtemps, Faith, mais quelque chose me dit que vous êtes une personne exceptionnelle, murmura-t-il, sa voix se faisant plus basse et plus suave, alors qu'il répétait avec admiration :

— … exceptionnelle.

D'instinct, elle sut qu'il allait l'embrasser. Et, comme il l'enlaçait tendrement et que ses lèvres effleuraient les siennes avec douceur, elle ferma les yeux.

Généreux, délicat, attentionné… Si c'était ainsi que devait être un baiser, pourquoi alors ne ressentait-elle rien d'autre que la chaleur des lèvres de Robert posées sur les siennes ? Pourquoi n'éprouvait-elle pas l'intensité des émotions et des sensations qui avaient fait palpiter son cœur et mis ses nerfs à vif lorsque Nash l'avait embrassée ?

Confuse de ne pouvoir seulement répondre à sa propre interrogation, elle laissa Robert prolonger sa caresse quelques secondes encore avant de s'écarter doucement.

— Trop tôt ? demanda-t-il avec regret.

Hochant la tête et se tournant vers la maison, Faith fut soulagée que la nuit dissimule la culpabilité de son regard.

Robert ouvrit la porte, s'effaça pour la laisser passer et ajouta :

— Ne vous préoccupez pas de ce que je vous ai dit ce soir.

Comment pourrait-elle ne pas s'en préoccuper ? se demanda Faith, après avoir refermé la porte derrière lui. Elle se rappelait avoir lu un livre autrefois qui suggérait que, tout au long de sa vie, un individu était confronté encore et encore au même problème jusqu'à ce qu'il trouve une solution.

A l'âge de quinze ans, elle n'avait pas été suffisamment mature, ni suffisamment forte pour affronter la dure réalité des difficultés que Nash lui avait causées et à présent… Qu'est-ce que la vie essayait de lui dire, de lui infliger, en l'obligeant à aller vers Nash et implorer sa clémence ?

Sur le plan professionnel, elle s'estimait plus que compétente pour mener à bien le travail que Robert lui avait confié pour la Fondation. En imagination, elle voyait déjà le visage des enfants et de leurs parents à leur arrivée à Hatton.

Philip avait eu une enfance aussi privilégiée que solitaire et elle savait combien cela aurait compté pour lui de savoir que cette maison, *sa* maison, serait remplie d'enfants pour qui elle serait source de bonheur. Satisfaire les souhaits de Philip, telle serait sa priorité, se jura-t-elle avec ferveur.

— Alors, on rêvasse à son amant ?

Surprise par la voix de Nash qui jaillit du hall obscur, à peine éclairé par la lune, Faith laissa échapper un cri.

— Robert *n'est pas* mon amant, répondit-elle, sur la défensive.

Nash se détourna d'elle et alla fermer la porte à clé. Involontairement, alors qu'il passait devant la fenêtre du bureau, il avait été témoin du baiser que Robert et Faith avaient échangé. Il ne douta pas un instant du rôle que Robert voulait jouer dans la vie de Faith et dans son lit, et il avait cru comprendre qu'elle ne s'y opposait pas.

Faith prit une profonde inspiration. Puisque Nash était présent, il était inutile de remettre à plus tard ce qu'elle devait faire. Pas question de rester éveillée la moitié de la nuit en regrettant de ne pas avoir agi !

Avant de perdre tout courage, elle lâcha dans un souffle :

— Nash, si tu as une minute, je souhaiterais te parler.

Le ton légèrement anxieux, presque conciliant de sa voix, si différent de la colère et de l'hostilité manifestées à son encontre jusqu'alors, éveilla les soupçons de Nash.

— Il est tard, rétorqua-t-il. Et j'ai passé la dernière heure à attendre que tu daignes rentrer pour pouvoir fermer la porte. Cette discussion ne peut pas attendre demain ?

En d'autres circonstances, une telle réaction de qui que ce soit, de Nash a fortiori, l'aurait immédiatement déstabilisée. Mais ce soir, elle était tellement à cran, tellement nerveuse et tendue, qu'elle ne s'autorisa aucune hésitation.

— Non. Je dois vraiment te parler maintenant.

Comme elle le fixait, Nash hésita puis fronça les sourcils et se dirigea à grands pas vers le bureau de Philip dont il poussa la porte.

— Non, pas là ! refusa Faith vivement.

— Où alors ? interrogea Nash. Dans ta chambre, peut-être ?

Trop à bout pour entendre le sarcasme et le cynisme amer de ses paroles, elle fut également incapable d'imaginer ce qui traversait l'esprit de Nash, ce qu'il ressentait. Pour sa part, son unique désir, était d'en finir aussi vite que possible avec la délicate requête qu'elle devait lui soumettre.

— Oui, oui... ma chambre, ça ira, répondit-elle, presque distraitement en se précipitant vers l'escalier.

« Bon sang, mais que fait-elle ? » s'interrogea Nash.

A son tour, il marqua une hésitation lorsque Faith ouvrit la porte de sa chambre, entra vivement, alluma la lumière et se retourna vers lui. Enfin, il la suivit et referma la porte.

Une seconde, elle fut tentée de lui demander de la laisser ouverte, puis elle se réprimanda d'une telle stupidité.

Si à vingt-cinq ans elle était encore vierge, pour des raisons qui ne regardaient qu'elle, il était inutile qu'elle se comporte comme telle.

— Eh bien ? questionna Nash agressivement. J'attends. Qu'y a-t-il de si important qui ne peut attendre demain ?

Elle se lança avec courage :

— Robert m'a dit ce soir que la décision des administrateurs… ta décision, corrigea-t-elle, de faire don de Hatton à la Fondation n'était pas encore définitive.

Perplexe, Nash la regardait fixement.

— Tu m'as fait venir ici pour me dire *ça* ?

Il semblait furieux.

— Non, reconnut Faith, en penchant la tête, incapable de le regarder en face, alors qu'elle poursuivait à voix basse :

— Je ne l'avais pas compris jusqu'à ce soir, mais Robert s'est mis dans une position très délicate vis-à-vis des membres du comité en m'employant. Apparemment, ma candidature ne faisait pas l'unanimité.

» Nash, je détesterais être la cause de quoi que ce soit qui compromettrait la position de Robert ou l'acquisition de la maison par la Fondation.

Un instant, sa confiance passionnée dans le travail de la Fondation surpassa sa propre anxiété et son angoisse.

— Une fois réaménagée, Hatton sera vraiment parfaite comme foyer de la Fondation. Je sais combien Philip aurait aimé qu'une telle utilisation en soit faite, et je sais ce que cela a signifié pour moi d'habiter ici. Je resterai toujours reconnaissante envers Philip.

— Reconnaissante ? Comment peux-tu dire ça et espérer que je te croie, après ce que tu as fait ! s'exclama Nash.

Le visage de Faith s'enflamma. Elle voulait désespérément se défendre, faire fi de toute prudence et crier à Nash à quel point il se trompait à son sujet, sans se soucier qu'une telle affirmation le contrarie ou non. Pourtant, elle ne pouvait pas se permettre d'agir ainsi… pas pour l'instant.

Elle reprit avec sincérité :

— Nash, tu ne sauras jamais combien je regrette ce qui est arrivé à Philip. Combien je souhaite…

La gorge serrée, elle s'arrêta.

— Je t'en prie, Nash ! reprit-elle. Nous sommes tous deux adultes et nous avons tous deux aimé Philip. Ne pouvons-nous pas mettre de côté nos différends par égard pour lui… en mémoire de ce qu'il voulait pour Hatton ?

— Nos *différends* ? Mon Dieu ! A t'entendre, on croirait que nous n'avons eu qu'une stupide querelle sur un sujet anodin, et non pas…

— Je sais parfaitement ce que tu penses de moi, Nash, coupa Faith avec calme. Je sais que tu penses que je mérite d'être punie, même si…

Elle s'arrêta et s'obligea à se concentrer sur le sujet de leur discussion et non sur ses propres sentiments.

— Ce que je voulais te dire, c'est que si ta punition doit se répercuter sur Robert et la Fondation et les projets que Philip avait pour cette maison, alors…

— Alors quoi ? la défia Nash. Alors que feras-tu, Faith ?

— Tout ce qu'il faudra pour que cela ne se produise pas, répondit-elle sincèrement. Je ferai tout ce que tu voudras, Nash, pourvu que tu n'empêches pas la Fondation d'obtenir Hatton.

Tout ce qu'il voudrait ! Nash avait peine à croire ce qu'il venait d'entendre. Faith s'offrait à lui en paiement de son silence !

Amorcée par le baiser dont il avait été témoin, attisée par la réaction que ce baiser avait suscitée en lui, et résultat d'années de douleur et d'interrogation, une colère furieuse, brutale et dévastatrice le submergea.

Des années plus tôt, Faith s'était offerte à lui, avec ce qu'il avait considéré alors comme l'innocence de la jeunesse. Il avait sincèrement cru que son offre était le fruit de l'amour. Mais il avait eu tort, tellement tort… Lui seul savait les nuits entières, pendant lesquelles il était resté éveillé, mourant d'envie d'elle, la désirant, se jurant de chasser de son cœur et de son âme le besoin qu'il avait d'elle plutôt que d'y céder.

Croyait-elle vraiment une seule seconde qu'il accepterait son offre — une offre qui révélait de façon irréfutable sa véritable personnalité ? Il était hors de question qu'il cède, pas même pour avoir la satisfaction de lui donner une leçon dont elle avait bien besoin. En revanche, il était certainement en droit de lui demander des comptes.

— Et qu'est-ce que Robert pense de l'offre que tu viens de me faire ? demanda-t-il, doucereux.

Faith fronça les sourcils. L'avait-il vraiment écoutée ?

— Robert n'est pas au courant, expliqua-t-elle rapidement. Et il ne doit pas l'apprendre non plus.

Elle redoutait qu'une fois Robert mis au courant, il insiste pour entreprendre quelque action chevaleresque qui risquerait de mettre en péril sa propre position. C'était bien la dernière chose qu'elle voulait.

— Alors, il s'agit d'un... arrangement personnel, un arrangement privé ? questionna Nash.

— C'est ça.

Elle acquiesça, retenant son souffle et s'attendant que Nash demande ce qu'elle ferait s'il refusait sa proposition. Elle savait qu'une fois qu'elle lui aurait répondu qu'elle démissionnerait plutôt que de porter préjudice au travail de la Fondation, elle ne pourrait plus revenir en arrière. Mais à sa grande surprise, Nash ne lui posa aucune question.

Un silence pesant s'était installé entre eux. Faith jouait nerveusement avec l'une de ses boucles d'oreilles, et elle poussa un petit cri aigu lorsque celle-ci se détacha et roula sur le sol. Aussitôt, elle se jeta à genoux pour la ramasser.

Le supplice de la voir dans cette position si suggestive fit grincer Nash des dents, dans une furieuse abnégation. Comment diable avait-il seulement pu la croire innocente ?

Alors qu'elle continuait à fouiller le sol à tâtons, s'approchant inéluctablement de lui à quatre pattes, il sentit son corps réagir, bien malgré lui. Avec colère, il essaya de contrôler la vague de désir qui durcissait son sexe, se détournant même pour dissimuler la preuve de l'effet qu'elle provoquait.

Soudain, il la voyait nue, étendue dans son lit, sa peau soyeuse et ses bras tendus l'invitant à venir la rejoindre.

Dix ans plus tôt, il avait rêvé de l'initier doucement et tendrement aux plaisirs des relations charnelles. Agé de vingt-deux ans, il se considérait alors bien informé et doué dans ce domaine. Aujourd'hui, il avait toutes les raisons de croire que c'était Faith qui pourrait lui enseigner quelques secrets.

L'année des vingt et un ans de Faith, il vivait à New York et fréquentait une femme des quartiers chic, de plusieurs années son aînée, qui ne cachait pas les raisons de le vouloir dans son lit et *uniquement* dans son lit, puisque dans tous les autres domaines, elle était pleinement satisfaite.

Ils avaient prévu de passer un week-end ensemble à la campagne. Des amis y possédaient une résidence secondaire et la leur prêtaient. La veille de leur départ, il avait reçu le rapport annuel concernant Faith, via la tierce personne par l'intermédiaire de laquelle il finançait ses études, conformément aux dernières volontés de son parrain.

Ce rapport ne tarissait pas d'éloges à son sujet, non seulement à propos de son travail universitaire, mais aussi des diverses activités auxquelles elle participait bénévolement pendant son temps libre, et notamment, la collecte de fonds pour des œuvres de charité en faveur des enfants et le soutien scolaire. Son vingt et unième anniversaire à venir avait aussi été évoqué.

A ce jour encore, Nash ne savait toujours pas pourquoi il était allé acheter ces boucles d'oreilles. Il s'était dit que Philip aurait certainement voulu qu'il le fît. Les diamants, enchâssés dans une monture en or vingt-quatre carats, choisis chez Tiffany's, étaient de petite taille mais d'une très grande pureté. Il les avait envoyés en Angleterre, juste avant de partir à la campagne.

Ce week-end-là, sa compagne avait fustigé, avec force critiques, son incapacité à la satisfaire et, même si en fin de compte, ils avaient fait l'amour, cela n'avait été qu'un rapport sexuel, un accouplement physique qui n'avait apporté beaucoup de plaisir, ni à l'un ni à l'autre.

— Oh… Dieu merci ! s'exclama Faith en retrouvant sa boucle qu'elle s'empressa de remettre à son oreille.

— Je t'en prie, relève-toi, ordonna Nash. Je n'ai pas besoin d'une démonstration de tes talents d'aguicheuse, Faith !

Ses talents d'aguicheuse ? Elle s'empourpra en comprenant son allusion.

— Et en ce qui concerne ton offre, eh bien… disons que je vais y réfléchir, ça te va ? proposa Nash.

Faith se releva et ferma les yeux. Pourquoi avait-elle pris la peine de s'adresser à lui ? Il était évident qu'il avait bien l'intention de continuer à la tourmenter.

Nash fronça les sourcils en s'entendant parler. Que disait-il ? Il n'avait nulle intention de seulement considérer le marché sordide que Faith lui proposait.

Mais quelque chose l'incitait à aller dans ce sens. Quelque chose qu'il refusait de nommer et qu'il ne supportait pas d'admettre.

Comme Nash se dirigeait vers la porte, Faith se précipita derrière lui. Elle voulait lui demander une chose encore : depuis quand était-il le seul administrateur de la succession de Philip ?

Mais avant qu'elle puisse demander quoi que ce soit, il s'était retourné brusquement et lui demandait sèchement :

— Que veux-tu Faith ? Ceci ?

Sur ce, il l'embrassa. Il couvrit sa bouche de la sienne et la rudoya, détruisant le voile fragile des illusions qu'elle avait tissé, convaincue que tous deux pouvaient faire la paix.

Elle tendit les mains en avant pour le repousser.

— Non !

Mais Nash la fit tourner, la plaqua contre la porte et saisit son visage entre ses mains pour qu'elle ne lui échappe pas.

— Si ! insista-t-il brutalement, faisant entrer le mot en elle alors que de sa langue, il écartait ses lèvres, et pénétrait si puissamment dans la sensibilité vulnérable de sa bouche que le corps de la jeune femme tout entier se mit à frissonner en reconnaissant la sensualité de son geste.

Immobilisée contre la porte, le poids du corps de Nash s'appuyant contre elle, Faith lutta pour combattre ses propres sentiments. Si les gestes de Nash l'avaient choquée, sa propre réaction la choqua encore plus.

Instinctivement, elle sut que jamais Robert ne pourrait lui faire connaître pareilles sensations, lui faire vivre ce besoin féminin, féroce et urgent, de répondre à la sensualité brute de Nash.

Etait-ce donc le prix que Nash exigeait d'elle pour son silence, pour faire don de Hatton à la Fondation ? La jouissance de son corps de quelque façon qu'il choisirait ?

Elle était ravagée par la honte et la fureur. Une autre sensation encore la consumait, bien plus profondément que la force combinée des deux premières. Une sensation qui mettait sa fierté à nu. Elle *voulait* Nash.

# 6.

La petite robe noire était tombée en corolle aux pieds de Faith. Sa peau, seulement couverte de la combinaison transparente qu'elle portait encore, resplendissait de sa chaleur vibrante et voluptueuse. Mais Faith n'avait absolument pas conscience du supplice que sa sensualité infligeait à Nash. Son désir se mêlait aux émotions qu'elle avait si violemment tenté de vaincre, et la subtile alchimie qui en résultait la faisait s'accrocher désespérément à Nash, alors qu'elle lui rendait toute la passion enfiévrée de son baiser.

En la dépouillant de sa robe, Nash l'avait pour ainsi dire libérée de ses inhibitions ; la fureur et l'amertume qu'elle avait tout d'abord ressenties quand il l'avait embrassée s'étaient totalement dissipées pour céder la place au désir fougueux qui l'embrasait.

Adolescente, elle avait bien rêvé de leurs baisers ou de leurs ébats amoureux, mais elle avait été en revanche bien trop immature pour seulement imaginer pareille sensation — ce besoin brut, affamé, douloureux et dévastateur qu'elle avait de lui et qui l'animait, la dirigeait, la soumettait.

Sous ses doigts, elle sentit le tissu de sa chemise, un obstacle qui la séparait de ce qu'elle voulait réellement atteindre et toucher ; elle poussa un petit gémissement féminin d'attente contrariée, alors que son corps se tendait de la frustration de ne pouvoir le caresser comme elle en avait tant envie, peau contre peau, corps contre corps.

Lorsque fébrilement, elle trouva enfin une ouverture sur le devant de sa chemise, son gémissement se mua en un doux soupir de plaisir, et Nash se mit à trembler sous les assauts de ses caresses.

Désespérément, il tenta de se rappeler la raison de sa présence dans la chambre de Faith, la raison de son comportement mais comme la jeune femme bataillait avec les boutons de sa chemise, il entreprit instinctivement de l'aider.

— J'ai tellement envie de toi..., susurra Faith contre la bouche de Nash.

Seigneur ! Comme il la désirait ! Il avait toujours su que ce serait merveilleux entre eux, sans oser rêver qu'ils pourraient jamais atteindre une telle extase...

Prise de vertiges, Faith s'interrogea : comment le simple fait d'embrasser quelqu'un pouvait-il lui donner l'impression que son corps tout entier était sur le point d'exploser ?

Aidée de Nash, elle parvint enfin à déboutonner sa chemise. Avec gourmandise, elle caressa son torse nu. Elle voulait le toucher, le caresser, l'embrasser, s'enivrer de son odeur qui lui faisait déjà tellement perdre la tête.

Nash luttait contre lui-même. Il tentait de se convaincre que la seule raison pouvant expliquer son attitude, était la nécessité de se rappeler qui était Faith, de savoir jusqu'où elle était prête à aller.

Sa détresse transcendait l'intense envie qu'il avait d'elle. Il ne pouvait pas l'aimer de nouveau... pas en sachant qui elle était, ce qu'elle avait fait. C'était impossible. Pourtant chacun de ses gestes le rendait fou... lui faisait perdre toute logique, toute rationalité.

Nash n'avait cessé de l'embrasser depuis l'instant où il l'avait plaquée contre la porte, comprit Faith dans un éclair. Elle se sentait comme grisée, s'accrochant à ses lèvres tandis que de ses hanches, pesantes et brûlantes, Nash s'appuyait contre elle, l'immobilisait, sa virilité se déployant à chaque frôlement.

Une nuit, des années plus tôt, elle avait brisé toutes les règles, tourné le dos à la décence et, guidée par sa libido et son amour d'adolescente, était entrée dans la chambre de Nash, cherchant à tâtons le chemin jusqu'à son lit.

Elle ne voulait qu'une chose : être avec lui, pour qu'il la serre dans ses bras, qu'il l'aime. Mais lorsqu'il s'était redressé dans un sursaut, elle avait découvert, à la lueur argentée de la lune, qu'il était nu. Un désir féminin aussi évanescent que violent s'était emparé d'elle, la conduisant à lui demander de l'embrasser.

Ensuite, l'espace d'une seconde, elle avait cru qu'il allait accéder à sa demande, lorsqu'il s'était penché vers elle. Elle avait retenu son souffle et fermé les yeux, tremblant de tous ses membres, alors que les mains de Nash se refermaient sur ses poignets. Mais les paroles qu'il avait finalement prononcées n'étaient pas de doux et sensuels mots d'amour mais l'ordre brutal lui intimant d'ouvrir les yeux.

Docilement, elle avait obéi et il lui avait dit fermement :

— Tu dois cesser ce petit jeu, Faith. Pour notre bien à tous les deux. Tu es jeune et tu ne sais pas vraiment ce que tu demandes… ni ce que tu fais.

Puis, plus gentiment, il avait ajouté :

— Crois-moi : un jour, tu me remercieras de t'avoir renvoyée ce soir.

Honteuse et désespérée, elle avait quitté sa chambre en courant pour se réfugier dans son lit, où elle avait pleuré à en tomber de sommeil. Aujourd'hui, alors qu'elle se rappelait cet incident, Faith reconnaissait que Nash avait eu raison. A quinze ans, elle aurait été bien trop jeune pour affronter l'intensité de la passion brute qu'ils partageaient à présent.

Et maintenant, elle devinait par une puissante intuition féminine, que ni l'un ni l'autre ne seraient en mesure de s'arrêter.

Enhardie par ses propres réflexions, elle tira sur les pans de la chemise de Nash.

Un long et lent frémissement de plaisir la parcourut alors qu'elle explorait son torse nu. Mais cela ne lui suffisait pas. Elle voulait le regarder, le goûter, rassasier ses sens affamés de la réalité sensuelle de son corps et de la certitude qu'il la désirait et avait besoin d'elle aussi intensément qu'elle le désirait et avait besoin de lui.

Détacher sa bouche de celle de Nash releva presque du supplice, mais le fugace sentiment de perte fut compensé par la satisfaction qu'elle puisa dans la contemplation avide de son corps.

Aucune star de cinéma ne pourrait jamais rivaliser avec la sensualité brute, excitante et absolue de Nash, se dit-elle. Il incarnait tout ce qu'un homme pouvait être, tout ce qu'un homme *devait* être et pourtant, malgré toute l'intensité et l'impatience fébriles et passionnées de son émoi, une partie d'elle-même était encore soudainement et délicieusement submergée par une tendresse amoureuse.

Touchée par cette émotion, elle déposa un baiser sur le bout de son doigt qu'elle fit glisser ensuite le long de la gorge de son compagnon, avant d'y déposer ses lèvres, puis sa bouche, descendant peu à peu, sans cesser de l'embrasser.

Nash avait l'impression d'avoir ouvert une porte et de s'être engouffré dans son fantasme le plus secret et le plus intime, alors qu'au même instant, Faith entrecoupait ses baisers de mots d'amour.

Il découvrait que son rêve, pourtant vieux de plus de dix ans, exerçait toujours le même pouvoir sur lui.

— Faith, dis-moi comment tu veux que je te fasse l'amour. Veux-tu que je te cajole et que je t'excite, que je te couche sur ce lit et que je dévore ton corps de baisers ?

Comme elle renversait la tête pour plonger au plus profond de ses yeux, Faith sut que son propre regard la trahissait, mais rien ne lui importait moins.

— C'est ce que tu veux, n'est-ce pas ? reprit Nash, la voix voilée. Que j'embrasse ta poitrine, le bout de tes seins, ton ventre…

Sa voix se mua en un râle bas et rauque qui traduisait son excitation de mâle.

— … cet endroit secret ? Tu veux ça, Faith ? Tu veux que je t'embrasse là, que je te goûte, que je te donne envie de te donner complètement ?

Faith ne pouvait plus parler. Elle pouvait à peine bouger. Son corps tout entier était soumis à la sensation moite et brûlante que les paroles de Nash avaient éveillée.

Nash ne parvenait pas à croire ce qu'il disait… ce qu'il pensait… ce qu'il voulait. Il était comme possédé, soumis à quelque pouvoir mystérieux… le pouvoir de l'amour !

Alors que ces derniers mots naissaient dans son esprit, il les repoussa violemment. Cela n'avait *rien* à voir avec l'amour. Ce n'était que justice. C'était…

Faith l'embrassait, déposant d'innombrables baisers légers et avides sur son visage, sa gorge, sa bouche.

— Déshabille-toi, Nash, implora-t-elle. Prends-moi. Montre-moi… Apprends-moi…

Lui apprendre ! Il s'apprêtait à lui répondre qu'il doutait pouvoir apprendre quoi que ce soit à une femme comme elle, mais comme elle s'acharnait sur la boucle de la ceinture, le contact de ses doigts fins, frémissant désespérément contre son corps, suscita des sensations qui auraient pu éveiller une statue.

De toutes ses forces, il essayait de rester lucide. D'un ton bourru, il commença :

— Nous devons…

Mais Faith l'interrompit d'un hochement de tête, disant dans un murmure chargé de convoitise :

— J'ai envie de toi, Nash…, j'ai tellement envie de toi…

Elle déboutonna le jean de son compagnon puis fit lentement glisser sa main le long de sa cuisse musclée. Sentant le corps de Nash se durcir, elle s'enhardit dans sa caresse. Du bout des doigts, remontant vers son bas-ventre, elle effleura l'épaisseur soyeuse de sa toison.

En représailles, Nash fit glisser les délicates bretelles de sa combinaison, révélant la rondeur pleine et gonflée de ses seins. Ses mamelons, déjà durs, répondirent au contact avide de ses mains.

Incapable de résister à une aussi merveilleuse tentation, Nash pencha la tête vers sa poitrine, tout en laissant échapper un long soupir torturé. Ils se comportaient comme deux adolescents assoiffés de découvertes, tellement excités l'un par l'autre qu'ils ne pouvaient attendre de gagner le confort d'un lit — mais ils n'étaient *pas* des adolescents.

Les frissons qui s'emparèrent du corps de Faith à l'instant où les lèvres de Nash se posaient sur le bout de son sein chassèrent complètement de son esprit sa plus infime capacité de raisonnement. La soulevant dans ses bras, Nash l'emmena jusqu'à son lit.

Les yeux éperdus d'amour, consciente qu'elle venait d'entrer dans le plus beau de ses rêves, elle regarda Nash achever de se déshabiller.

Adolescente, elle avait à peine osé s'imaginer en compagnie de Nash, dans pareille situation. Devenue adulte, elle avait verrouillé cette partie d'elle-même qu'était sa sexualité. A présent, plus aucune barrière ne se dressait entre eux. La sensation qui filait, résonnait et vibrait dans son corps inexpérimenté, alors qu'elle ne quittait pas Nash des yeux, déclencha un émoi si explicitement sexuel au plus profond d'elle qu'elle laissa échapper un petit halètement mi-choqué, mi-stupéfié.

— Faith ? interpella Nash à voix basse.

Mais elle secoua la tête et détourna le regard, soudain aussi timide et gênée que si elle avait toujours quinze ans.

Quels que fussent les mensonges de Faith, elle ne dissimulait pas le désir qu'elle avait de lui, reconnut Nash. Mais certaines femmes étaient ainsi, n'est-ce pas ? Actives sexuellement, facilement excitées…

Il se pencha en avant et s'empara de la bouche de Faith. Leurs lèvres s'unirent avidement, tandis que les seins de la jeune femme, doux comme du satin, emplissaient les mains de Nash.

Il embrassa ensuite ses tétons, les suçant délicatement, effrayé de céder à la violence de son désir et de lui faire mal. Il embrassa la douce chaleur de son ventre plat et fit jouer ses doigts entre ses cuisses qu'elle maintenait obstinément serrées. Il intensifia ses caresses, et sentit le corps de Faith se détendre, et le laisser pénétrer dans la moiteur douce et chaude de son intimité.

Il savait qu'il ne pourrait attendre encore longtemps. Etre ainsi à côté d'elle suffisait à le rendre fou. D'ailleurs, il ne pouvait plus attendre du tout !

— Ecarte tes jambes, murmura-t-il en l'embrassant encore.

Soudain, elle se sentit nerveuse, terrifiée à l'idée de le décevoir. Après tout, c'était sa première fois. Elle n'avait aucune expérience, elle ne savait pas.

Avec hésitation, elle se soumit à sa demande et, alors que Nash se plaçait lentement au-dessus d'elle, puis sur elle et enfin entrait en elle, tous ses doutes et toutes ses peurs s'évanouirent ; elle s'éleva, s'envola, se libéra, se fondant en Nash comme il se fondait en elle, deux parts égales d'un tout parfait.

C'était ce pour quoi elle était née, ce à quoi elle était destinée...

Alors qu'elle sentait la puissance de l'orgasme monter en elle, elle ferma les yeux et cria le nom de Nash. Le son sur ses lèvres se mua en une ode d'amour et de bienvenue.

Incapable de se maîtriser, elle noua ses jambes autour de lui et murmura avec passion :

— Je suis tellement heureuse de t'avoir attendu, Nash... Je n'aurais pas supporté de connaître ça avec un autre... pas la première fois.

Ni aucune autre fois, aurait-elle voulu ajouter, mais Nash l'avait interrompue.

— Que dis-tu ?

Elle devina sa stupéfaction, souffrit à l'instant douloureux où le corps de son amant cessa de bouger en elle. L'idée de perdre Nash, de perdre ce moment alors qu'ils étaient si proches de l'extase, la dérouta. Nerveusement, elle bougea son corps contre le corps immobile de Nash, une fois, puis une autre et une autre encore, jusqu'à ce qu'enfin, avec une plainte sourde, il recommence à se mouvoir avec elle, pour elle, les emportant tous les deux si vivement au-delà des limites de ce qu'elle connaissait, qu'elle ne put que s'accrocher désespérément à lui, alors que l'orgasme s'engouffrait en elle et l'entraînait dans un tourbillon.

Lorsqu'il l'entendit hurler son plaisir, Nash, bouleversé par le tumulte des émotions conflictuelles qui le ravageaient, eut un soubresaut.

Faith était vierge ! C'était impossible… inimaginable… Mais son corps ne le trompait pas. Son corps avait perçu cette évidence avant même que Faith ne la lui avoue. Et alors que son esprit analysait le danger auquel il s'exposait, après avoir entendu cet aveu, son corps réagissait tout autrement. Avant que Faith elle-même l'ait si imprudemment pressé, il avait su qu'il ne pourrait contrôler le désir que son corps avait d'elle.

Nash ferma brièvement les yeux puis les rouvrit, se détacha de Faith, se leva et rassembla ses vêtements.

Le fait qu'elle soit vierge ne changeait en rien le jugement qu'il portait sur elle et ce qu'elle avait fait subir à son parrain. Il ne savait pas pourquoi Faith n'avait pas eu d'amant jusqu'à ce jour — nul doute qu'elle n'avait pas dû manquer de propositions. S'était-elle abstenue pour le jour où elle rencontrerait l'homme idéal ? Un homme suffisamment riche pour lui offrir le style de vie auquel elle aspirait ? Un homme comme Robert Ferndown ?

Si c'était le cas, alors pourquoi ruiner maintenant un atout si précieux ? Et pourquoi avec lui ?

Pour acheter son silence ? Un long tremblement le déchira. Croyait-elle vraiment qu'il tomberait dans le panneau ?

Ce qu'elle pensait et ce qu'il ressentait n'avait à présent plus aucune importance. La situation avait changé. Seul comptait désormais ce qu'ils venaient de faire.

— Qu'y a-t-il ? Pourquoi pars-tu ? demanda Faith anxieusement, alors que Nash se rhabillait.

Pourquoi la quittait-il alors qu'il aurait dû être en train de la tenir dans ses bras, de l'aimer ? Son corps avait perdu toutes ses forces. Plongée dans un état de choc, à la fois physique et émotionnel, elle était incapable de comprendre autre chose que le fait que son amant l'abandonnait.

Nash attendit d'avoir atteint la porte avant de poser la question qui lui brûlait les lèvres :

— Comment est-ce possible ? Tu as vingt-cinq ans, Faith !

Que voulait-il dire ? Qu'elle avait passé l'âge d'être vierge ; qu'il aurait préféré qu'elle ne le soit pas ?

A présent, elle avait l'impression de se vider lentement de l'amour qui l'avait consumée si ardemment et si violemment dans les bras de Nash. Dix années loin de lui n'avaient pas suffi à détruire cet amour, pas plus que les accusations qu'il lui avait jetées au visage, ou encore la mauvaise opinion qu'il avait d'elle. Non, c'était maintenant, alors qu'ils venaient de partager une expérience magique, que Nash détruisait son amour, qu'il l'assassinait comme il l'avait si souvent accusée d'avoir assassiné son parrain.

Au prix d'un effort immense, elle réussit à puiser suffisamment de fierté en elle pour répondre sèchement :

— Je ne l'ai pas fait exprès.

Elle haussa légèrement les épaules et lui décocha un sourire amer.

— Je suis désolée si ce n'était pas ce à quoi tu t'attendais…

— Tu aurais dû me le dire !

— Je l'ai fait…, rappela-t-elle doucement.

— Pas au bon moment. C'était trop tard, Faith ! Lorsque tu me l'as dit, je doute qu'une ceinture de chasteté aurait seulement pu m'arrêter !

— Ce n'est pas moi qui…

— C'est *toi* qui m'as offert de coucher avec toi en paiement de mon… silence, interrompit-il vivement. Tu es incroyable, tu sais ? Que croyais-tu ?

Faith l'écoutait, complètement abasourdie. Elle ne lui avait *jamais* proposé de coucher avec elle. De *quoi* parlait-il ?

— Je suppose que ce serait trop espérer que tu utilises un moyen de contraception ? poursuivit Nash d'un air las.

Un coup d'œil à Faith confirma ses craintes.

Faith se mit à frissonner. Le corps à présent dépossédé de l'urgence et du besoin sensuels qui l'avaient animé, elle ne comprenait pas la raison de son comportement. Elle se força à affronter les yeux couleur topaze, brillant de colère de Nash, mais elle ne put soutenir son regard et détourna la tête.

— Je… je ne peux pas être enceinte, balbutia-t-elle. Pas après une seule fois…

L'éclat de rire de Nash la choqua encore plus que son rejet manifeste.

— Je ne peux pas le croire, l'entendit-elle répondre avec raillerie. Surtout de ta part, toi la brillante élève dont les professeurs portaient aux nues la maturité et l'intelligence… le sens des responsabilités, la compassion envers les autres…

— Tu as lu les appréciations de mes professeurs ? s'enquit Faith, non sans une certaine suspicion.

— Ils étaient joints à tes références pour le poste. Non que cela ait quelque importance à présent, ajouta-t-il dédaigneusement. Maintenant, toi et moi avons d'autres soucis plus urgents, n'est-ce pas ?

Rouge de confusion, Faith se détourna. Nash avait raison. Bien entendu, il avait raison et elle ne savait pas pourquoi elle se comportait de façon aussi stupide.

Alors qu'il ouvrait la porte de la chambre, Nash hésita.

— Est-ce que Ferndown est au courant au sujet de ta virginité ? demanda-t-il sans détour.

La rougeur du visage de Faith se mua en une vague de colère.

— Qu'est-ce que cela peut te faire ?

Puis, stupéfaite par le regard de Nash, elle se mordit la lèvre, avant d'admettre à contrecœur :

— Non ! Non ! Il n'est pas au courant.

# 7.

Il était 5 heures de l'après-midi. Faith n'avait pas revu Nash depuis près de deux jours — précisément depuis la nuit où il avait quitté sa chambre — et le calme de la grande maison vide commençait à la ronger. Le calme de la maison ou l'absence de Nash ?

Son absence, évidemment ! reconnut-elle en silence, en s'efforçant de concentrer son attention sur son travail.

La veille au matin, lorsqu'elle était descendue dans la cuisine et avait trouvé le mot de Nash l'informant de son départ « pour affaires », elle avait immédiatement éprouvé un intense soulagement.

Elle aurait tant voulu pouvoir enfouir sous un immense panneau « Danger » ce qui s'était passé entre eux !

Distraitement, elle griffonna sur son bloc-notes, écarquillant les yeux d'horreur en découvrant les deux cœurs entrelacés qu'elle venait d'y dessiner.

Que lui arrivait-il ? Elle n'aimait pas Nash — elle ne l'aimait plus — et assurément, il ne l'aimait pas non plus. Pourtant, n'avait-elle pas… ?

Les joues en feu, elle se leva et s'approcha de la fenêtre du bureau. Sa présence à Hatton, en compagnie de Nash, était la cause de ses problèmes et expliquait leur folie commune. Mais Nash étant absent aujourd'hui, ne devrait-elle pas être capable de se concentrer sur son travail, au lieu de rêvasser ?

Nash était-il vraiment parti « pour affaires » ou parce qu'il voulait mettre quelque distance entre eux, et lui signifier clairement qu'il ne voulait pas d'elle dans sa vie ?

Faith se figea, le cœur battant quand la porte du bureau s'ouvrit. Mais, ce n'était que Mme Jenson, la gouvernante.

— Je m'en vais à présent, l'informa cette dernière.

Tout à fait consciente de l'hostilité latente de l'employée à son égard, Faith la remercia d'un sourire mal assuré. Cette antipathie, perçue dès leur première rencontre, était devenue plus menaçante depuis le départ de Nash.

Comme si elle n'avait pas déjà suffisamment de problèmes à affronter pour se préoccuper, en plus, de Mme Jenson ! se sermonna Faith en reprenant son travail.

Elle essaya de visualiser Hatton, une fois la transformation achevée, mais aucune image ne se formait dans son esprit. En réalité, la seule personne qu'elle voyait vivre à Hatton était Nash.

Ne voyait-elle vraiment que lui ?

Elle s'agita. Assurément, il devait être tout à fait naturel qu'elle visualise une famille, *sa* famille vivant à ses côtés !

Peut-être. Mais alors, était-ce aussi normal qu'elle imagine deux petites filles et deux petits garçons qui auraient hérité des yeux incroyablement bleus de Nash et de ses propres cheveux blonds ?

« Ta mémoire te joue des tours », se réprimanda Faith avec une profonde indignation. Des années plus tôt, en effet, alors si jeune et si naïve, elle avait rêvé qu'un jour Nash et elle formeraient une telle famille. Mais aujourd'hui, ce rêve n'avait plus aucun sens. Plus aucun…

Sa vue se brouilla à mesure que la réalité des faits la forçait à admettre une appréhension qu'elle avait jusque-là dissimulée au plus profond d'elle.

Elle avait été tellement absorbée par son émerveillement de faire l'amour avec Nash, qu'elle n'avait pas pensé une seule seconde aux conséquences de ce rapport charnel. Dépourvue de toute expérience sexuelle préalable, elle ne s'était pas préoccupée d'une telle question.

Elle ne pouvait *pas* être enceinte, se dit-elle en essayant de se rassurer. Plus que tout autre chose, elle avait largement passé l'âge où une grossesse imprévue était excusable ! Elle était adulte, responsable de sa propre vie — et peut-être aussi de la nouvelle vie, qu'avec Nash, elle venait de créer…

Son téléphone portable sonna, bousculant ses réflexions. La voix de Robert dans l'écouteur lui fit craindre tout à coup les réactions de leur entourage lorsque se répandrait la nouvelle de son aventure avec Nash.

— J'ai eu envie de vous appeler pour savoir comment les choses avançaient ! expliqua Robert.

Rapidement et avec professionnalisme, elle fit un bref compte-rendu de ses travaux en cours.

Les « affaires » que Nash était parti régler, concernaient-elles la Fondation et Hatton ? s'interrogea-t-elle. Malgré sa curiosité, elle ne se sentit pas le droit de poser la question, d'autant que Robert semblait bien fatigué et préoccupé.

— Du nouveau en ce qui concerne Smethwick House ? s'enquit-elle.

— Pas grand-chose. Un déjeuner est prévu demain avec les autres membres du comité et je devine qu'il me faudra proposer une solution pour rattraper notre retard. Je suppose que Nash ne vous a rien dit de plus au sujet de Hatton ? demanda-t-il, la voix emplie d'espoir.

Plus tard dans la soirée, tandis qu'elle débarrassait les reliefs de son dîner, avant de regagner le bureau, Faith se sentit encore coupable vis-à-vis de Robert et des problèmes qu'il rencontrait.

Le temps était particulièrement clément depuis quelques jours et elle fut tentée de passer la soirée dans le jardin. Mais la reconversion de la maison posait un problème épineux qu'elle était déterminée à résoudre sans tarder.

Hatton avait beau être vaste, Faith estimait néanmoins que sa transformation en foyer d'hébergement serait bien trop onéreuse au vu du nombre total de personnes pouvant être effectivement accueillies.

En outre, les splendides jardins imaginés par Gertrude Jekyll n'avaient pas été conçus pour que des enfants y jouent. La perspective de les détruire afin de créer un environnement plus adapté semblait un véritable sacrilège.

Faith cherchait encore une solution acceptable à ce casse-tête, tard dans la soirée, lorsque Nash revint.

Sa première impulsion, en le voyant descendre de voiture, fut de courir se réfugier dans sa chambre. Mais sa vie lui avait enseigné le courage et la détermination de se défendre. Pourquoi devrait-elle se cacher ? Ce qu'ils avaient fait, après tout, ils l'avaient fait à deux, même si…

Le souffle court, elle entendit la porte d'entrée s'ouvrir.

Elle avait laissé entrebâillées les portes du bureau ; s'il ne l'avait pas aperçue depuis l'allée, Nash se douterait qu'elle s'y trouvait, en voyant la lumière. Et il aurait certainement aussi peu envie de la voir que réciproquement.

Sa respiration se fit rauque lorsque, contre toute attente, Nash poussa la porte et entra.

Vêtu d'un complet de couleur sombre, il paraissait encore plus puissamment et irrésistiblement mâle.

L'ardeur torride de leur étreinte, gravée dans sa mémoire, se rappela aussitôt à Faith.

— Je sais qu'il est tard mais nous devons parler, lança-t-il rudement en lui présentant une feuille de papier.

— Qu'est-ce que c'est ?

Elle l'interrogea avec hésitation, fixant le document avec défiance. L'expression du visage de Nash avait suffi pour mettre tous ses sens en alerte.

— Une dispense de bans, répondit-il d'un ton résolu.

— Une quoi ?

Médusée, elle le regarda fixement.

— Une dispense de bans, répéta-t-il d'un ton sec, ajoutant, sans lui laisser le temps de dire quoi que ce soit :

— Je connais l'évêque, c'était un ami de mon père. Il a accepté, à titre exceptionnel, de nous accorder une dispense pour nous marier. J'ai pris toutes les dispositions. Le service aura lieu demain, à 11 heures. J'ai vu le prêtre. Il était…

— Nous marier ? interrompit Faith, bouleversée. Non ! Non ! Nous ne pouvons pas ! C'est impossible…

Son cœur battait la chamade. Pourtant, elle était à la fois affolée et mystérieusement distante de ce qui se passait, comme si elle était spectatrice de ses propres émotions.

Mais Nash avait repris la parole, disant sèchement :

— J'ai bien peur que ce ne soit pas seulement possible, Faith, c'est essentiel. Toi et moi *devons* nous marier. Nous n'avons pas d'autre choix.

Sa stupéfaction passée, Faith se sentit peu à peu envahie d'autres émotions : des émotions douloureuses, blessantes, destructrices, presque insupportables. Des émotions qu'elle se refusait à reconnaître et encore moins à analyser.

— Mais pourquoi ? demanda-t-elle à Nash, la voix rendue aiguë par la panique.

— Comment peux-tu me poser cette question, Faith ? coupa Nash avec cynisme. Tu pourrais être enceinte !

Faith ferma les yeux et respira profondément afin de recouvrer son sang-froid.

— Es-tu en train de dire que nous devons nous marier à cause d'un bébé que je pourrais ou non porter ?

— Nous devons nous marier parce que tu portes peut-être *mon* bébé, acquiesça Nash durement. Et parce que…

Il se dirigea vers la fenêtre, gardant le dos obstinément tourné, alors qu'il ajoutait avec froideur :

— L'opinion que j'ai de toi n'a strictement aucune importance, Faith. J'ai ma propre éthique. Une éthique peut-être démodée au vu des normes modernes, mais c'était celle de Philip et, de bien des façons, il a davantage influencé mon existence que l'un ou l'autre de mes parents ne l'a fait.

Il se tut puis se retourna, trompant la vigilance de Faith, et ne lui laissant pas le temps de dissimuler la douleur qu'elle avait au fond des yeux. Nash poursuivit sans pitié :

— Si tu avais eu plus… d'expérience…

— Tu prétends que nous devons nous marier parce que j'étais *vierge* ? demanda Faith, la voix teintée d'incrédulité. Mais c'est… c'est dépassé, Nash !

— Pour toi peut-être. Mais en ce qui me concerne, c'est la bonne décision, la seule que je puisse prendre à présent.

Faith prit une profonde inspiration.

— Et si je refuse ?

Elle le questionna, la tête haute, comme si elle se forçait à le défier.

— Je ne te le permettrai pas, répondit-il sombrement. Et si cela peut t'aider à mieux accepter la situation, tu n'as qu'à te dire que, d'une part, tu as toi-même marchandé ta virginité avec beaucoup de brio et que, d'autre part, ma fortune est bien plus importante que celle de Ferndown.

Faith ne pouvait plus parler. Elle ne pouvait plus penser. Les paroles de Nash étaient si impitoyables, si traumatisantes qu'elle parvenait à peine à respirer.

Confusément, elle s'aperçut qu'elle tremblait… qu'elle frissonnait. Non pas de peur, mais de colère, de fureur, de rage et d'indignation que Nash ait osé lui parler sur ce ton. Sans savoir comment, elle réussit à contrôler son désir de donner libre cours à ses sentiments et affirma aussi posément que possible :

— Il pourrait ne pas y avoir d'enfant.

Le regard de Nash se fit incisif.

— Parce que c'était la première fois pour toi ? railla-t-il, la voyant rougir avec une satisfaction sardonique. Comme je viens de te le dire, poursuivit-il froidement, ce n'est pas la véritable question.

— Oui, je sais. Tu as décidé ce mariage parce que j'étais vierge, répéta-t-elle mécaniquement.

Elle ne pouvait réprimer l'incrédulité furieuse de sa voix.

— Nash ! C'est… c'est…

Elle s'arrêta, incapable de trouver les mots avec lesquels elle pourrait lui faire comprendre ses sentiments.

— Et si je n'étais pas *vraiment* vierge ? Si tu avais seulement cru que je l'étais ? le défia-t-elle.

— Tu dis n'importe quoi. Ça n'a pas de sens, rétorqua-t-il avec dédain.

— *Moi* ? Je dis n'importe quoi ?

Mais pourquoi se donnait-elle la peine de discuter avec lui alors que de toute évidence, il avait déjà pris sa décision et n'en démordrait pas ?

Peu importait ! Elle refusait d'obéir à ses décisions, à ses ordres. Elle était libre de ses faits et gestes. Elle pouvait, si elle le voulait, quitter cette pièce, prendre sa voiture et…

— N'y pense même pas, déclara Nash tandis qu'il s'interposait entre elle et la porte, comme s'il avait lu dans ses pensées.

— Demain matin, toi et moi serons mariés, répéta-t-il. Et je ferai tout ce qu'il faut pour que ce mariage ait lieu.

Il haussa légèrement les épaules.

— Je suis surpris que tu fasses tant d'histoires. Après tout, tu vas obtenir exactement ce que tu voulais.

Ces paroles, murmurées avec un manque total de compassion, donnèrent à Faith l'impression qu'un étau géant comprimait son cœur.

Avait-il deviné ? Osait-il croire que parce qu'elle avait été suffisamment naïve pour céder au désir qu'elle avait de lui, elle était en plus suffisamment idiote pour entretenir sa toquade d'adolescente ? Peut-être pensait-il aussi qu'elle était restée vierge pour lui… parce qu'elle le voulait… et l'aimait ?

Faith ouvrit la bouche pour lui dire combien il avait tort, mais la referma sans un mot, son corps se détendant de soulagement lorsqu'il ajouta :

— Tu voulais te marier pour l'argent, Faith, et c'est exactement ce que tu vas faire.

*L'argent.* Comme Nash se fourvoyait !

En tremblant, elle ferma les yeux, trop submergée par ses propres sentiments pour nier son insinuation insultante.

— Oh ! Juste au cas où tu voudrais tenter quoi que ce soit de stupide, je préfère te prévenir tout de suite, que d'ici à notre mariage, je n'ai pas l'intention de te quitter des yeux.

— Me quitter des yeux… Mais tu veux dire…

Elle voulut protester mais s'arrêta.

— Eh bien ? l'encouragea Nash.

— Que comptes-tu faire, Nash ? Monter la garde toute la nuit, devant la porte de ma chambre, pour t'assurer que je ne m'échappe pas ?

Elle comprit l'imprudence de sa question, à l'instant où elle le défia du regard, dans le silence pesant qui s'ensuivit.

— *Devant* la porte de ta chambre ?

Le regard qu'il lui lançait était un véritable supplice.

— Ne sois pas naïve, Faith ! Dans la mesure où nous avons déjà pris de l'avance sur nos vœux de mariage, il serait ridicule que nous ne partagions pas le même lit ! Et ce sera d'autant plus facile pour moi de m'assurer ainsi que tu ne fais rien… d'insensé…

— Ah, oui ? le défia-t-elle avec hargne. Tu comptes me menotter par la même occasion ?

Elle se tut lorsque Nash lança dangereusement :

— Ne me tente pas. La soumission te ferait-elle fantasmer par hasard ?

— Non !

— Vraiment ? N'aimes-tu pas l'idée de réduire émotionnellement un homme en esclavage... La soumission n'est pas seulement physique, tu sais, ajouta-t-il, railleur.

— Je n'aime pas l'idée d'une relation dans laquelle les deux personnes ne sont pas sur un pied d'égalité, réussit-elle à dire.

Elle avait peine à croire à la réalité de la situation, à croire que Nash souhaitait vraiment qu'ils se marient, pour les prétextes les plus bêtes et les plus surannés jamais entendus !

Et avec une dispense de bans, qui plus est ! Comme deux amants fébriles, impatients d'être unis !

En tout cas, elle risquait fort de ne pas avoir l'air d'une mariée, se dit-elle en songeant aux vêtements de travail qu'elle avait apportés à Hatton.

Si quelqu'un d'autre que Nash lui avait proposé une si impossible union, elle aurait argumenté et bataillé pour la faire changer d'avis. Mais, comme elle ne le savait que trop, une fois que Nash avait adopté un point de vue, une attitude, un *jugement*, rien ni personne ne pouvait lui faire admettre le contraire.

— Tu ne peux pas décemment vouloir ce mariage ! protesta-t-elle, dans une ultime tentative de lui faire entendre raison.

— Il ne s'agit pas de ce que je veux, mais de ce que je dois faire, riposta-t-il aussitôt.

— Mais, nous ne nous aimons pas, et s'il n'y a pas d'enfant...

— Eh bien ? demanda Nash avec cynisme, se méprenant sur sa question. Tu prendras un amant ? Si tu le fais, Faith, tu as intérêt à t'assurer qu'il veut vraiment de toi et qu'il a les moyens de t'entretenir, car je ne tolérerai pas une épouse infidèle, et avec ton passé...

Leurs regards se croisèrent et s'affrontèrent, mais à son profond dépit, elle fut la première à baisser les yeux.

Nerveusement, Faith remonta la couette jusqu'au menton et fixa, immobile, la porte de sa chambre. Elle avait pris deux comprimés de somnifère aux plantes, auquel elle recourait de temps à autre, et priait pour être profondément endormie lorsque Nash la rejoindrait.

Elle n'avait pas la moindre chance de s'échapper. La voiture de Nash bloquait la sienne, et il détenait les clés de la maison. Une petite voix intérieure l'accusa de ne pas déployer tous les efforts nécessaires pour s'enfuir, mais elle la fit taire, la considérant illogique et sans fondement.

Qu'était-elle censée faire ? Sauter par la fenêtre ?

En outre, si elle était effectivement enceinte... Elle avait grandi sans son père, et pire encore, elle avait vu de ses propres yeux combien le soutien de l'homme qu'elle avait aimé avait manqué à sa mère. L'absence d'un époux et d'un père avait affecté leurs deux vies.

Les somnifères agissaient progressivement. Ses pensées devenaient confuses, ses paupières se faisaient lourdes. Demain, elle épouserait Nash. Un tremblement fébrile parcourut son corps. Nash... Son prénom était sur ses lèvres lorsqu'elle s'endormit enfin.

Immobile devant la fenêtre du bureau, Nash fixait le jardin, à présent plongé dans l'obscurité.

Il savait que, pour bien des personnes — et certainement, pour Faith aussi — sa décision semblait démodée et futile. Mais il prenait ses responsabilités au sérieux et quelle plus grande responsabilité pour un homme que de devenir père ?

Il avait été choqué, et plus surpris qu'il ne voulait l'admettre, de découvrir qu'il était le premier amant de Faith. S'il fermait les yeux, il la revoyait telle qu'elle était à quinze ans. Mais c'était une femme qu'il avait tenue dans ses bras, deux nuits plus tôt, une femme à qui il avait fait l'amour.

Une femme qui n'avait jamais encore révélé sa féminité et avait choisi, sans qu'il sache pourquoi, de vivre sa première expérience sexuelle avec lui. *Lui*, le dernier des hommes qu'elle aurait logiquement dû choisir. Pourquoi ?

Ulcéré, il s'éloigna de la fenêtre. Depuis quand, une explication logique permettait-elle de justifier les actions de Faith ? Elle avait préservé sa virginité pour la monnayer en temps utile et la lui avait offerte pour parvenir à ses fins, il n'y avait pas d'autre explication !

Peut-être, comme lui, avait-elle été prise au piège d'une situation qu'elle ne contrôlait pas ? Peut-être, comme lui, avait-elle aussi…

Elle aussi, quoi ? Il jura entre ses dents et fronça les sourcils en apercevant son attaché-case. Presque à contrecœur, il l'ouvrit, retira un dossier et en étala le contenu sur le bureau de Philip.

Les rapports des professeurs de Faith lui étaient tellement familiers qu'il aurait presque pu les réciter mot pour mot. Elle s'était montrée une étudiante studieuse, appliquée et déterminée à réussir. « Une jeune femme dotée d'intégrité et d'intelligence », avait conclu l'un de ses professeurs.

Avec quelle aisance, elle les avait trompés ! Elle avait tout aussi facilement leurré son parrain… Les yeux de Nash se posèrent sur une feuille volante. Etonné, il la saisit.

C'était une lettre que Faith avait écrite aux administrateurs peu après avoir été informée des dispositions testamentaires de Philip. Elle y exprimait sa surprise et sa gratitude, et promettait de faire tout ce qui serait en son pouvoir, pour se montrer digne de la confiance de Philip. « Vous ne pouvez imaginer à quel point cela compte pour moi de savoir que Philip croyait en moi et en mon innocence… »

Son *innocence* ! Si seulement, elle avait été innocente !

Elle connaissait son inquiétude à propos de la santé de Philip. Il lui en avait parlé quelques jours seulement avant qu'elle et sa petite bande ne pénètrent par effraction dans la maison. Anxieux, il avait oublié sa méfiance et s'était confié à elle. En agissant de la sorte, avait-il été, malgré lui, responsable de ce qui était arrivé à Philip, au même titre que Faith ?

Elle *savait* qu'il serait absent et que Philip serait seul. Il le lui avait dit aussi. Et elle connaissait la fragilité croissante du vieil homme. Il y avait eu certains symptômes avant-coureurs. Philip s'était plaint de « fourmillements » dans le bras en diverses occasions, ce qui selon son médecin, était un symptôme flagrant, prouvant qu'il souffrait déjà d'attaques mineures.

Qu'avait dû penser Philip lorsqu'il avait vu Faith… lorsqu'il l'avait laissée entrer ? Il avait sans doute été heureux de la voir, enchanté de sa visite inattendue, songea Nash. Combien de fois s'était-il tourmenté, torturé en imaginant ce que Philip avait dû ressentir quand il avait compris la vérité ? Que la visite de Faith n'était pas motivée par l'amour mais par l'appât du gain ? Et pour quoi ? Philip n'avait jamais eu plus de cent livres sterling en espèces dans la maison — jamais !

Cent livres sterling !

Nash se souvenait encore de la stupéfaction du notaire de son parrain lorsqu'il lui avait fait part de ses intentions.

— Vous voulez financer les études de cette jeune femme et vous voulez lui faire croire que l'argent provient de la succession de feu votre parrain ?

L'avoué était resté abasourdi… dubitatif même, mais Nash s'était montré inflexible, insistant en outre sur le fait que Faith devait croire sa part d'héritage gérée par plusieurs « administrateurs » anonymes.

Au début, il avait éprouvé un semblant de plaisir à savoir qu'il exerçait un tel contrôle sur sa vie, son avenir... savoir que, d'un seul mot, s'il le souhaitait, il pouvait la détruire, la priver des chances exceptionnelles qui lui avaient été offertes. Au moment où la mort de Philip était encore récente et son sentiment de culpabilité encore à vif, Nash avait eu besoin de ce genre de cruel réconfort moral.

Plus tard, quand il avait commencé à recevoir les rapports élogieux de ses professeurs, qui vantaient non seulement son acharnement dans son travail, mais aussi sa personnalité, ses sentiments avaient changé. Il était à la fois furieux qu'elle puisse duper ses professeurs si facilement, et amer, comme s'il éprouvait un sentiment de perte.

Sa propre faiblesse envers Faith l'avait agacé et l'agaçait encore aujourd'hui. Pourquoi diable ne pouvait-il accepter ce qu'elle était au lieu de souhaiter qu'elle soit différente ?

Et si elle portait réellement son enfant ? Comment pourrait-il protéger cet enfant de toute désillusion au sujet de sa mère ?

Il n'en avait aucune idée. Mais d'une façon ou d'une autre, il lui faudrait trouver une solution.

Rassemblant les documents éparpillés sur le bureau, il rangea le dossier dans son attaché-case. Ensuite, il l'emporta à sa voiture, ouvrit le coffre, l'y déposa et retira les autres paquets qui s'y trouvaient : un grand carton à chapeau, discrètement estampillé du nom d'une illustre modiste, une housse à vêtements, arborant la griffe d'un couturier non moins renommé, et enfin, une boîte à chaussures contenant une paire d'escarpins aux talons si hauts et si fins qu'il n'en avait pas cru ses yeux. Mais la vendeuse s'était montrée si persuasive qu'il s'était laissé convaincre.

Il rapporta le tout à la maison, referma la porte et monta à l'étage.

Lorsqu'il entra dans la chambre de Faith, elle dormait avec toute l'innocence d'une jeune fille.

Il déposa les paquets sur le sol et quitta la pièce.

De retour dans le bureau de Philip, il se versa un verre de whisky, le porta à ses lèvres puis le reposa sans y avoir touché. Ce n'était sûrement pas la réponse à ses problèmes.

Faith se réveilla en sursaut. La veille au soir, elle avait oublié de tirer les rideaux, et à présent, le soleil entrait à flots. Avec anxiété, elle tourna la tête et constata, à son grand soulagement, que la place à côté d'elle était vide. La taie d'oreiller n'était même pas froissée. Alors, elle aperçut les paquets posés sur le sol.

Repoussant les draps, elle se leva et s'approcha, avec méfiance.

Elle ouvrit d'abord la boîte à chaussures, ses yeux s'écarquillant en découvrant les délicats talons aiguilles en satin de couleur crème. Jamais elle n'aurait osé acheter un modèle aussi ravissant, et aussi onéreux ! Elle se tourna vers le carton de la modiste, retint son souffle et souleva le couvercle. Elle dut retirer plusieurs épaisseurs de papier de soie, avant de sortir enfin une somptueuse capeline.

Subjuguée, elle la détailla attentivement. Coordonnée aux chaussures, c'était un tumulte vaporeux de paille fine et de soie grège. Une capeline de mariage. Faith sentit son cœur s'emballer dans sa poitrine. Avec mille précautions, elle la reposa dans son écrin soyeux. Ses mains tremblaient et elle cligna des yeux à plusieurs reprises. Mais les seules larmes qu'elle serait susceptible de verser aujourd'hui, elle le savait, seraient des larmes de rage et de ressentiment.

Elle fixa la housse à vêtements de longues minutes avant de se résoudre à l'ouvrir.

La robe et le boléro, également de couleur crème, s'harmonisaient parfaitement avec l'éclat de son teint, et leur coupe, avec sa silhouette. Dans le bas de la housse, une pochette contenait sous-vêtements et bas. Rien, semblait-il, n'avait été oublié. Rien ne manquait pour qu'elle tienne son rôle de mariée.

Un instant, Faith fut tentée de ramasser robe, chaussures et capeline, et de les jeter par la fenêtre. Comment Nash *osait-il* agir de la sorte ? Comment *osait-il* parodier en tout point ce que devait être un jour de mariage ? Comment *osait-il* la forcer à prononcer des vœux insensés pour un mariage qui était une profanation de tout ce que devait être l'amour ?

Il était encore tôt, à peine 7 heures du matin. Rapidement, elle se doucha et enfila ses vêtements — un haut de coton et un jean — puis sa paire de chaussures habituelle.

Elle replaça le chapeau, les chaussures et la robe dans leurs emballages, puis, les prenant à bras-le-corps, partit à la recherche de Nash.

Il dormait dans la chambre qu'il avait toujours occupée. Faith était tellement furieuse qu'elle ne se donna pas la peine de frapper pour s'annoncer. Elle poussa la porte à toute volée, entra d'un pas décidé et s'approcha du lit sur lequel elle jeta son fardeau en lançant avec fureur :

— Tu peux peut-être me forcer à t'épouser mais il est hors de question que tu me forces à porter… à porter *ça*.

Nash se redressa, les traits de son visage se durcirent. Il demanda avec sarcasme :

— Que vas-tu porter alors ? Ton jean ?

— Je ne suis pas une petite fille ou une poupée que tu habilles à ta guise pour satisfaire tes caprices ! explosa Faith.

Derrière sa colère, il y avait des larmes et une détresse qu'elle était déterminée à ne pas lui montrer. Sa robe de mariée était quelque chose qu'elle aurait dû choisir elle-même avec excitation, fierté, joie et amour. Et non… non quelque chose que Nash s'était senti obligé d'acheter parce qu'il savait qu'elle n'aurait rien d'approprié dans son armoire. Et s'il l'avait réellement aimée, ce qu'elle aurait porté n'aurait eu aucune importance, ni pour l'un, ni pour l'autre, car seul aurait compté leur amour partagé.

Leur amour *partagé* ? Que racontait-elle ? Elle *n'aimait pas* Nash.

— Je ne porterai pas cette robe, Nash ! scanda-t-elle.

— Non ? Alors que feras-tu lorsque notre fils ou notre fille demandera à voir nos photos de mariage ?

Les photos de mariage ! Quelles photos ? Faith voulait le défier mais inéluctablement, l'image mentale de l'enfant que Nash venait d'évoquer se dessinait devant ses yeux. Leur enfant… la fille ou le fils de Nash… et d'elle aussi.

Un sentiment agréable d'impatience se répandit en elle et la transfigura.

— Voici votre thé et les journaux, monsieur Nash. Oh !

Faith se figea lorsque Mme Jenson entra dans la chambre. Le petit sourire entendu qu'elle leur lança la terrifia. Il se dégageait de cette femme quelque chose qu'elle n'aimait vraiment pas, et qui la faisait se sentir non seulement mal à l'aise mais aussi très vulnérable. Nash, au contraire, ne partageait pas ses sentiments et encore moins sa gêne.

Il accueillit la gouvernante chaleureusement.

— Merci, madame Jenson ! Vous allez être la première à nous féliciter. Faith et moi, nous nous marions ce matin ! N'est-ce pas, ma chérie ? ajouta-t-il.

Sur ces mots, il se pencha en avant, saisit la main de Faith, l'attira vers lui et avant qu'elle puisse l'en empêcher, l'embrassa sur la bouche avec une lenteur calculée.

Les interrogations que Faith lut dans les yeux de Mme Jenson lui étaient presque insupportables.

— *Pourquoi* le lui as-tu dit ? demanda Faith avec colère dès que la gouvernante fut partie.

— Préférerais-tu qu'elle pense que nous couchons ensemble et qu'elle aille répandre cette rumeur au village ? Tu te moques peut-être de *ta* réputation, Faith, mais je t'assure que je me préoccupe beaucoup de la mienne.

*
* *

— Je vous déclare mari et femme…

Parcourue d'imperceptibles frissons qui trahissaient tant sa nervosité que son émotion, Faith tremblait de tout son être.

Les rayons du soleil, qui traversaient les vitraux de la vieille église de style roman, faisaient étinceler les anneaux à sa main : un solitaire d'une pureté éclatante, qui lui rappelait étrangement ses boucles d'oreilles, et un anneau en or blanc. Ils étaient mariés. Elle était l'épouse de Nash.

*L'épouse* de Nash. Un autre frisson plus intense la secoua.

Pendant toutes ces années où elle avait rêvé d'épouser Nash, jamais elle n'avait songé qu'elle le ferait en éprouvant cette sensation.

Elle portait la robe, les chaussures et le chapeau que Nash avait achetés pour elle. Non en raison de ce qu'il lui avait dit, mais parce qu'elle avait estimé, en fin de compte, que le prêtre d'une petite paroisse rurale pourrait être choqué qu'elle se marie en jean et T-shirt. Elle avait finalement changé de vêtements par égard pour le prêtre, et par respect pour l'église.

— Je ne me rappelle pas la dernière fois où j'ai marié un couple avec une dispense de bans, confiait le prêtre, et Faith comprit à sa voix qu'il croyait avoir uni deux êtres éperdument amoureux.

Elle était éperdument amoureuse de Nash.

Autrefois.

Aujourd'hui, elle était hantée par le souvenir de la réponse qu'elle lui avait donnée pendant leur étreinte, par ce qu'elle avait éprouvé pour lui.

Mais cela ne voulait pas dire qu'elle l'aimait encore, essaya-t-elle de se convaincre, en luttant contre une panique intérieure. Comment pourrait-elle l'aimer après ce qu'il avait fait ?

Telle une bénédiction sereine et douce, l'atmosphère à l'intérieur de l'église respirait la paix et l'intemporalité. Comme elle cherchait à puiser quelques forces dans cet environnement, Faith se sentit touchée dans son âme par le souvenir de toutes les personnes qui avaient prié en ces lieux, génération après génération.

Aucun mariage ne devrait débuter ainsi, dans une telle hostilité et une telle défiance mutuelles.

Elle ne parvint pas à lever les yeux vers Nash quand elle quitta l'église à son bras.

# 8.

— Je m'en vais. J'ai fini le ménage à l'étage. Le mercredi, je fais toujours le ménage à l'étage. Bien sûr, j'ai mis plus de temps que d'habitude, étant donné que j'ai dû faire *deux* chambres…

Faith fronça les sourcils en entendant le sarcasme de la remarque de la gouvernante, mais elle feignit de n'avoir rien entendu.

Elle se rembrunit en se rappelant les propos pleins de fiel, qu'elle avait tenus à Nash, le jour de leur mariage.

— Je dois peut-être partager ta vie à partir d'aujourd'hui, Nash, mais il est *hors de question* que je partage ton lit !

— Tant mieux ! Je n'avais pas l'intention de t'y inviter ! avait-il rétorqué sans la moindre hésitation.

— Non, bien sûr ! De toute façon, tu as déjà *obtenu* ce que tu voulais, n'est-ce pas ? avait lancé Faith, désespérée.

— Si tu essaies d'insinuer que je savais que tu étais vierge et que j'ai délibérément…

Nash s'était interrompu, puis il avait secoué la tête.

— Nous sommes mariés désormais, Faith, avait-il repris posément.

— Mais nous ferons chambre à part, n'est-ce pas ? avait-elle insisté, retenant son souffle alors qu'elle s'attendait qu'il continue à argumenter.

A sa grande surprise, il ne l'avait pas fait. Pour toute réponse, il avait haussé les épaules avec dédain et avait conclu :

— Si c'est ce que tu veux.

Bien sûr, c'était ce qu'elle voulait, à ce moment-là... Et c'était ce qu'elle voulait encore, elle en était convaincue.

Ce n'était probablement que son amour-propre, blessé par le commentaire narquois de Mme Jenson, qui la faisait se sentir... si dépourvue de féminité, en quelque sorte. Quoi qu'il en soit, elle avait bien d'autres préoccupations que l'opinion de la gouvernante sur son mariage !

La journée était chaude, presque étouffante et elle fut tentée de justifier ainsi sa difficulté à se concentrer. Quelques jours encore, une semaine tout au plus, et elle saurait si un enfant avait été conçu au cours de la nuit passée avec Nash.

Instinctivement, elle jeta un coup d'œil à sa main gauche. Ses bagues étaient un peu trop grandes et elle fit tourner distraitement autour de son doigt, le solitaire que Nash lui avait donné comme « bague de fiançailles ».

— Pourquoi cette bague ? avait-elle demandé, alors qu'il la ramenait à Hatton, après la cérémonie à l'église.

— L'alliance et la bague étaient vendues ensemble, avait-il expliqué avec un haussement d'épaules désabusé.

Ensemble...

A présent, Nash et elle étaient ensemble, eux aussi, aux yeux du reste du monde.

Elle avait essayé de téléphoner à Robert quelques jours plus tôt, pour lui faire part de son mariage mais sa secrétaire avait répondu qu'il était en Ecosse, en visite chez un cousin âgé et souffrant.

— J'ai pour consigne de ne transmettre que les messages urgents, avait-elle ajouté.

Faith regardait sans les voir les plans sur lesquels elle était censée travailler. Malgré tous ses efforts, elle ne parvenait pas à fixer son attention. Chaque fois qu'elle commençait à prendre des notes sur la meilleure façon d'aménager les espaces habitables, elle revoyait

Philip lui faisant visiter la maison pour la première fois, une lueur de fierté dans les yeux.

De guerre lasse, elle quitta le bureau, monta dans sa chambre, retira son T-shirt et revêtit un petit haut bain de soleil. Ensuite, elle gagna le jardin. Nash était parti pour affaires et elle avait la propriété pour elle seule. Sans y penser, elle se pencha et arracha une mauvaise herbe qui poussait dans l'allée.

Une demi-heure plus tard, le tas de mauvaises herbes avait grossi et Faith poursuivait son travail avec ardeur.

Le ciel s'était teinté de nuances cuivrées et l'air s'était alourdi. Des perturbations avaient été annoncées pour la fin de la semaine, prévisions d'averses bien nécessaires.

Nash fronça les sourcils en entrant dans le bureau déserté. A l'exception de sa voiture garée à l'extérieur, il n'y avait aucune trace de Faith.

Sa perplexité s'accentua lorsqu'il se pencha sur les plans épars. Ils concernaient le rez-de-chaussée. D'après les notes qu'elle avait rédigées, Faith considérait la cuisine, en son état actuel, peu adaptée à un futur usage collectif.

Elle avait tracé un plan, petit mais détaillé, montrant comment certaines des plus grandes pièces pourraient être divisées, afin de créer de plus grandes capacités d'accueil. Nash déplaça les plans et découvrit ceux dissimulés au-dessous.

Bien que concernant aussi le rez-de-chaussée de Hatton, ils étaient d'une tout autre nature. Excepté l'ajout d'un ravissant jardin d'hiver et la réunion, en une pièce à vivre spacieuse et lumineuse, de l'ancienne arrière-cuisine, de l'office et de la cuisine actuelle, il n'y avait aucune modification. Nash examina longuement les plans, puis les remit en place avant de quitter le bureau.

Parvenu en haut de l'escalier, il s'arrêta et jeta un coup d'œil par la fenêtre qui donnait sur le jardin. Il aperçut Faith, occupée à désherber. Son bain de soleil exposait la peau délicatement hâlée de son dos. Elle avait relevé ses cheveux en chignon.

Le vol depuis New York avait été long et il n'aspirait qu'à prendre une douche et se coucher aussitôt après. Pourquoi alors, faisait-il demi-tour, et redescendait-il l'escalier ?

Faith n'aurait su expliquer au juste ce qui la fit suspendre son geste, tourner la tête et porter le regard au bout de la longue allée. Son intuition féminine ?

Son cœur s'affola lorsqu'elle aperçut Nash. Il avait coupé à travers le jardin et se tenait devant le petit belvédère d'où le regard embrassait toute la longueur de l'allée. En chancelant un peu, elle se mit debout.

L'air, si étouffant et oppressant, semblait s'appuyer physiquement sur sa poitrine. Le soleil avait disparu, comme englouti par les énormes nuages qui obscurcissaient lentement le ciel.

Faith frissonna. C'était un ciel annonciateur d'orage. Elle savait que sa peur des coups de tonnerre et des éclairs était irrationnelle, cela ne l'empêchait pas de les redouter.

Nash l'observait regarder tour à tour le ciel et lui-même, d'un air indécis. Jadis, elle se serait précipitée vers lui, son visage s'éclairant de joie comme elle se serait jetée dans ses bras. Ici, dans ce même belvédère, elle s'était accrochée à lui, levant la bouche avec avidité vers la sienne en déclarant :

— Oh, Nash… Je suis si contente que tu sois de retour ! Tu m'as tellement manqué !

Le baiser qu'il lui avait donné alors n'avait été qu'un frôlement de lèvres sur sa joue, bien différent de celui qu'il aurait voulu lui donner. Ensuite, il lui aurait murmuré combien il l'aimait et la désirait.

Mais résolument, il chassa ces souvenirs auxquels il ne voulait plus penser, et s'avança vers Faith.

Pourquoi la fixait-il ainsi ? se demanda la jeune femme avec méfiance. Peut-être pensait-il qu'elle devrait être en train de travailler à l'intérieur au lieu de jardiner ? Elle tressaillit lorsqu'elle entendit au loin, un grondement de tonnerre encore faible.

Nash l'avait entendu, lui aussi. Faith, il s'en souvenait, était terrifiée par les orages. Avec colère, il repoussa le sentiment de soulagement qu'il avait éprouvé lorsqu'il avait rejoint Hatton avant l'orage. Pourquoi diable éprouvait-il le besoin de la protéger ?

— Je vais rentrer, lui dit Faith, les yeux fixés sur l'horizon de plus en plus menaçant.

Quelques mèches de cheveux s'étant échappées de son chignon, elle leva les bras pour arranger sa coiffure, dénouant involontairement, dans le même mouvement, le ruban qui retenait son dos-nu.

A l'instant où elle sentit le tissu glisser sur sa peau, elle comprit ce qu'elle venait de faire et, dans un réflexe, plaqua sa main contre sa poitrine pour le retenir. Les rubans à présent emmêlés dans ses cheveux défaits, elle sut qu'elle ne pourrait les renouer discrètement et, au regard de Nash posé sur elle, elle comprit qu'il avait surpris son embarras.

— J'admire ta modestie, mais est-ce vraiment nécessaire ? demanda-t-il d'un ton sec. Les femmes bronzent les seins nus en public. Qui n'est pas habitué à voir la poitrine d'une femme de nos jours ? Par ailleurs…

Il se tut, mais Faith savait ce qu'il s'apprêtait à dire.

Il était sur le point de lui rappeler qu'il connaissait son corps nu… et pas seulement de vue !

Debout juste derrière elle, une main touchant à peine son épaule, il lui dit :

— Ne bouge pas, je vais les rattacher pour toi.

Ce n'était assurément qu'une remarque banale en soi, et un geste anodin — simplement nouer deux rubans, rien de plus. Mais ce faisant, ses doigts frôlèrent la peau de Faith, diffusant à travers son corps des messages de sensualité bien trop dangereux. Son corps était trop sensible, trop conscient de la présence de Nash. Elle sentait la cadence effrénée des battements de son cœur, attisée par un mélange de peur et de douleur alors que sa nervosité était exacerbée par le roulement lent de l'orage, heureusement encore lointain.

Et si maintenant Nash penchait la tête et embrassait doucement la courbe de son épaule, avant de la faire tourner pour qu'elle lui fasse face ? Sous son vêtement, Faith sentait les pointes de ses seins se durcir, tandis qu'une spirale ardente de désir se diffusait lentement en elle.

Si les choses étaient différentes entre eux, n'était-ce pas à ce moment qu'elle devrait se tourner vers lui, en lui adressant un sourire aguicheur et en l'invitant en silence à l'embrasser, à la caresser… à lui faire l'amour… ?

Pourquoi avait-elle ce genre de pensées ? La remarque de Mme Jenson l'avait-elle affectée davantage qu'elle ne l'avait cru ? L'avait-elle mise au défi, en tant que femme, au point qu'il lui semblait devoir prouver quelque chose ?

— Voilà…

— Merci.

Sa voix était cassante, son corps souffrait de la tension accumulée. Pourquoi Nash restait-il ainsi près d'elle ? Elle sentait son souffle contre sa peau, si chaud, si proche, que c'était presque comme s'il déposait une douce pluie de baisers contre son épaule nue. Avec frénésie, Faith lutta pour se rappeler la réalité de sa situation. Ne voulait-elle pas prouver qu'il n'y avait aucun risque pour qu'elle succombe aux sentiments d'adolescente qu'elle avait autrefois éprouvés envers Nash ?

Le silence pesant et sulfureux du jardin était si oppressant que même les abeilles s'étaient tues.

— As-tu parlé à Ferndown ? s'enquit Nash.

Il s'était écarté, et aussitôt, Faith pivota sur elle-même pour lui faire face.

— Tu veux dire… au sujet de notre mariage… ? balbutia-t-elle. Eh bien, non ! Je ne l'ai pas fait.

— Faith…, commença Nash.

Il s'arrêta lorsqu'un coup de tonnerre, sourd et tonitruant retentit…

— Nous devrions rentrer, dit-il. Avec un peu de chance, l'orage ne fera que passer. Mon notaire doit venir un peu plus tard, sinon…, précisa-t-il alors qu'ils se précipitaient vers la maison.

Il se tut, le visage soudain sardonique.

Sinon, quoi ? se demanda-t-il en se méprisant lui-même. Sinon, il resterait avec elle, il la protégerait, la serrerait dans ses bras… prendrait soin d'elle ?

Lorsque Faith leva la main pour pousser la porte, le solitaire accrocha la lumière et brilla de mille feux. Il l'avait commandé spécialement chez Tiffany's. Il avait menti en prétendant qu'il faisait partie d'une parure.

Une fois à l'abri dans la maison, Faith eut moins peur. Elle entendait l'orage à présent. Dieu merci, il était encore loin.

Faith bondit de sa chaise avec inquiétude lorsque retentit le fracas terrifiant du tonnerre. Il était 10 heures du soir et elle était seule dans la maison, regardant la télévision pour faire diversion à ce qui se passait au dehors. Les prévisions météorologiques locales avaient annoncé que la région serait épargnée par l'orage mais les grondements de plus en plus impressionnants qu'elle entendait par-dessus le bruit de la télévision, semblaient indiquer le contraire.

Nash était sorti dîner au restaurant avec son notaire. Elle avait été invitée à se joindre à eux mais avait préféré refuser. Lorsque Nash l'avait présentée comme sa femme, elle avait lu une certaine curiosité dans les yeux du vieil homme.

Pourquoi Nash avait-il eu besoin d'agir ainsi ? Elle s'était sentie tellement hypocrite d'accepter ses vœux de bonheur ! Son cousin avait été le notaire de Philip, avait-il confié en poursuivant la conversation.

Et de ce fait, bien entendu, il devait être au courant de la donation de Philip, à qui elle était tant redevable.

Un autre coup de tonnerre ébranla le ciel. Incapable de se retenir, Faith courut à la fenêtre et écarta les rideaux. La tempête avait apporté un crépuscule épais et, alors que la jeune femme scrutait l'obscurité, un éclair déchira le ciel.

Elle n'avait rien à craindre et elle le savait. L'orage ne ferait que passer au-dessus de la maison. Elle souhaitait seulement qu'il se dépêche de le faire !

Elle se rappelait avoir été surprise par un violent orage étant toute petite et supposait que c'était là l'origine de sa peur, désormais presque maladive. Son désir de fuir et de se cacher semblait parfaitement illogique, aussi se força-t-elle à s'éloigner de la fenêtre et à retourner s'asseoir.

Si elle augmentait suffisamment le volume de la télévision, elle n'entendrait pas l'orage qui, de toute façon, serait bientôt terminé, se dit-elle. Mais, une demi-heure plus tard, elle sut qu'il ne s'éloignait pas. Bien au contraire, il se rapprochait de plus en plus.

Attablé dans un restaurant d'Oxford, où il avait invité son notaire à dîner, Nash interrompit le flot de souvenirs attendris du vieil homme au sujet de Philip.

— Je suis désolé, déclara-t-il, mais je vais devoir partir. Faith est terrifiée par les orages et, contrairement aux prévisions, celui-ci semble se rapprocher de nous.

Par commodité, ils étaient venus chacun dans leur voiture, et quelques minutes après avoir réglé la note, Nash s'installait au volant et prenait la direction de Hatton.

Il alluma la radio et entendit que la tempête avait changé de direction et s'avérait plus forte qu'initialement prévu.

Inquiet, Nash appuya sur l'accélérateur. Sa préoccupation était très naturelle, se justifia-t-il en lui-même. Après tout, Faith portait peut-être son enfant.

Malgré la vive allure à laquelle il roulait, l'orage était plus rapide. Il voyait les éclairs illuminer le ciel devant lui, entendait ses terribles fracas et savait, en comptant les secondes entre les vifs éclats de lumière et les coups de tonnerre menaçants, que le cœur de l'orage n'était plus qu'à quelques kilomètres de distance.

Un autre éclair zébra le ciel avant d'atteindre la terre.

Quelques minutes plus tard, les phares de sa voiture éclairaient la branche brisée par la foudre qui barrait la route.

Rapidement, il fit marche arrière, et reprit la route qu'il venait de suivre. La seule autre route qu'il pouvait emprunter allait rallonger son itinéraire d'une bonne demi-heure.

Il jeta un rapide coup d'œil à la pendulette sur le tableau de bord…

Faith tremblait de tous ses membres comme un autre éclair déchirait l'obscurité devant la fenêtre de sa chambre. Avec anxiété, elle commença à compter, attendant le coup de tonnerre qui allait suivre.

Dix secondes… vingt secondes… L'orage était encore à des kilomètres de distance… Des kilomètres !

Elle était parfaitement en sécurité. Il était inutile de paniquer. Après tout, Hatton House n'avait-elle pas affronté et résisté à près d'un siècle d'orages d'été ?

Mais la bâtisse s'élevait sur la plus haute éminence des environs ; ses grandes cheminées décoratives se dressaient vers le ciel. La violence de l'orage, Faith n'en doutait pas, avait besoin de trouver une échappatoire… une proie sur laquelle elle déverserait toute son énergie. La fenêtre de sa chambre était encadrée par une structure de métal qui soutenait autrefois les barreaux dont étaient pourvues toutes les fenêtres des nurseries. Si un éclair venait la frapper…

Comme par maléfice, au même instant, un éclair aussi soudain qu'éblouissant illumina la fenêtre.

Faith se sentit submergée par l'angoisse.

Il y avait eu un orage, l'été de son séjour à Hatton. Nash l'avait découverte recroquevillée sur le palier, les mains plaquées sur les oreilles. Il l'avait conduite dans sa chambre, puis rassurée, apaisée, restant à son côté jusqu'au dernier tumulte de lumière et de sons.

Nash !

Faith hurla son nom alors que la tempête tonitruait et soufflait au-dehors, étouffant le bruit de sa terreur. Elle se sentait prise au piège des éléments à présent, incapable de toute logique, seulement guidée par son instinct et sa peur.

Tirant sur la porte pour l'ouvrir, elle traversa le palier en courant ; sa respiration s'étant muée en sanglots haletants et rauques quand elle atteignit la chambre de Nash. La pièce, plongée dans l'obscurité et comme épargnée par l'orage, ressemblait à un refuge silencieux, offrant paix et sécurité.

D'instinct, elle sut qu'elle serait là en sûreté. Avant de refermer la porte, elle entendit encore les tumultes de la tempête qui approchait toujours davantage.

Tremblant de peur, elle se blottit sur le lit de Nash, resserrant le couvre-lit autour d'elle.

— Allons, l'avait-il pressée gentiment voilà bien des années, lorsque l'orage s'était enfin éloigné. C'est fini, maintenant. Tu peux retourner dans ton lit.

— Je ne veux pas partir, avait-elle protesté. Je veux rester ici avec toi.

Sur ces mots, elle s'était accrochée à lui, souhaitant en silence qu'il l'autorise à rester. Appuyée contre son torse, elle avait écouté battre le cœur de Nash. Son propre cœur bondissait d'espoir, pendant qu'elle priait qu'il la laisse rester, lui montrer combien elle l'aimait, combien elle était adulte… et prête à être sienne.

Mais, décevant toutes ses espérances, il avait secoué négativement la tête et lui avait ordonné fermement :

— Tu ne *peux* pas rester ici, Faith. Tu sais que…

Avant qu'elle ait pu ajouter le moindre mot, il l'avait prise dans ses bras et l'avait ramenée dans sa chambre et dans son lit, comme si elle n'était encore qu'une petite fille, et non la femme qu'elle voulait tant qu'il voie en elle.

Un coup de tonnerre encore s'abattit sur la maison, étouffant même le son de ses propres cris. Frénétiquement, elle s'empara de l'oreiller de Nash et s'en recouvrit la tête.

Ainsi protégée, alors que le fracas s'apaisait brièvement, elle s'aperçut que l'oreiller portait le parfum de Nash.

Alors qu'elle s'en enivrait en de profondes bouffées, une déferlante d'émotion la submergea. Des larmes emplirent ses yeux. Les choses auraient pu être tellement différentes entre eux, si seulement Nash l'avait crue, s'il lui avait fait confiance, s'il l'avait aimée. Ses pensées la ramenèrent à cette funeste soirée qui avait détruit ses rêves…

Elle était venue à Hatton le week-end précédent, et Nash lui avait confié qu'il devait s'absenter. Par la suite, elle n'avait pas compris que les questions que les filles lui avaient posées au foyer, sur la présence ou l'absence de Nash, dissimulaient de si sombres desseins.

Elle avait répondu par la négative, sans que cela éveille en elle le moindre soupçon. Elle n'avait découvert la conspiration que par hasard, prévenue par une autre pensionnaire du foyer qui avait surpris une bribe de conversation.

Le foyer était distant de Hatton de cinq kilomètres. Elle avait couru tout au long du chemin, arrivant avec un douloureux point de côté et terrifiée à l'idée qu'il puisse être trop tard pour mettre Philip en garde.

La porte d'entrée était ouverte, preuve, avait-il été démontré plus tard, que c'était elle qui avait tout organisé et que Philip l'avait laissée entrer sans se méfier. Elle avait entendu des voix provenant du bureau. Lorsqu'elle s'y était précipitée, elle avait trouvé le vieil homme étendu à terre, la bande de filles mettant la pièce à sac ; plus révoltant encore, l'une d'entre elles, penchée au-dessus du corps inanimé de Philip, tenait son portefeuille à la main.

Folle de stupéfaction et d'angoisse, Faith s'était précipitée pour défendre Philip, bousculant la jeune délinquante et lui arrachant le portefeuille des mains dans le même mouvement. Ce fut à ce moment, alors qu'elle se penchait sur son bienfaiteur pour le protéger que Nash était entré à son tour.

Sur le moment, elle avait été trop soulagée de le voir arriver pour craindre l'interprétation qu'il pouvait avoir de la scène.

Et lorsque la meneuse du gang avait délibérément menti, clamant que c'était elle, Faith, la responsable, celle qui avait organisé leur effraction, il ne lui était jamais apparu que Nash pourrait croire cette jeune fille.

L'ambulance et la police étaient arrivées en même temps. Faith était devenue presque hystérique lorsqu'elle avait compris, qu'en plus de ne pouvoir accompagner Philip à l'hôpital, elle allait être conduite au poste de police avec le reste de la bande.

Là, elle avait réclamé la présence de Nash, certaine encore à ce stade qu'elle parviendrait à lui prouver la vérité, certaine qu'il devait y avoir une erreur. Il était totalement impossible que Nash persiste à croire qu'elle aurait pu faire *quoi que ce soit* qui blesserait Philip.

Mais Nash avait refusé de la voir, refusé de la croire.

En l'espace d'une nuit, elle avait grandi. Elle était devenue la femme qu'elle avait tant voulu être et cette femme s'était juré de détruire totalement tout l'amour qu'elle avait éprouvé pour Nash…

Faith suffoqua lorsque la maison tout entière sembla résonner de l'intensité du tonnerre, la ramenant au présent et à la réalité. Elle était désormais trop terrifiée pour crier, trop pétrifiée pour bouger, puisant son unique source de réconfort et de force dans le parfum familier qui émanait du lit de Nash.

Nash ouvrit la porte de Hatton à toute volée. L'orage était quasiment au-dessus de la maison à présent et c'était, comme l'avait souligné le journaliste de la station de radio locale, le pire qu'avait connu la région depuis plus de vingt ans.

Il appela Faith, jeta un coup d'œil dans le bureau, puis dans la cuisine, avant de monter l'escalier quatre à quatre. Sa voiture étant garée à l'extérieur, il savait qu'elle était dans la maison, et il supposa qu'elle s'était réfugiée dans sa chambre.

La porte était ouverte mais la pièce était vide. Le lit malmené lui indiqua que Faith avait dû s'y réfugier à un moment ou à un autre. Mais où se trouvait-elle à présent ?

Aucun rai de lumière ne filtrait sous la porte de la salle de bains. Il y jeta néanmoins un coup d'œil, sans cesser de l'appeler. L'angoisse dont Faith souffrait, exacerbée par un orage aussi violent que celui qui s'abattait sur eux, pouvait avoir de graves conséquences. Saisie de panique, elle pouvait être sortie au dehors, être tombée, être étendue quelque part terrifiée… blessée… Il faisait nuit noire à l'extérieur et, quand il était arrivé, la pluie avait commencé à tomber.

— Faith ?

Aucune réponse ne lui parvint.

Avait-elle eu peur au point de quitter la maison ? Il avait une torche dans sa voiture mais, avant d'aller la chercher, il lui fallait prendre un manteau dans sa chambre pour se protéger de l'averse.

Il gagna celle-ci et s'aperçut que la porte était ouverte. Il sentit son cœur battre plus fort dans sa poitrine.

Dix ans plus tôt, au milieu d'un orage d'été, Faith avait trouvé refuge dans sa chambre, avec lui. Mais les choses étaient différentes, à cette époque. Aujourd'hui, sa chambre ne serait-elle pas le dernier endroit où elle viendrait chercher réconfort et sécurité ?

Craignant d'avancer davantage, il resta immobile, sa respiration sortant de ses poumons en un râle long, lent et douloureux, alors qu'il découvrait la petite bosse presque inimaginable que Faith formait au milieu de son lit.

Elle s'était tellement recroquevillée sur elle-même que sa silhouette, sous les draps, était presque celle d'un enfant.

Alors que ses yeux s'habituaient à l'obscurité de la pièce, il la découvrit étreignant l'oreiller, le visage enfoui dedans.

L'orage avait atteint son paroxysme : les éclairs aveuglants étaient suivis de coups de tonnerre si forts que Nash lui-même eut un mouvement de recul.

Faith tremblait tant que le lit tremblait lui aussi.

Nash se sentit alors bouleversé par la compassion et par une vague d'émotion bien trop dangereuse pour qu'il puisse la nommer.

S'asseyant au bord du lit, il tendit la main vers Faith.

Elle crut d'abord à un rêve. Elle crut qu'elle avait été tuée par un éclair et qu'elle était à présent dans un endroit où les rêves, les illusions étaient devenues réalités. Comment sinon, pourrait-elle se trouver dans les bras de Nash qui enveloppait tendrement la couette autour de son corps frissonnant, tout en lui disant qu'elle était en sécurité et qu'elle ne devait plus avoir peur, car l'orage serait bientôt terminé ?

— Non, ne regarde pas, l'entendit-elle murmurer, alors qu'elle tournait la tête vers la fenêtre et voyait la lueur des éclairs, aussi vive et létale, que la langue d'un serpent.

Dans le ciel, le tonnerre s'acharnait encore sur la maison mais Nash calait doucement sa tête au creux de son épaule, la berçait, ses gestes incroyablement tendres lui faisant oublier tout ce qui se passait au dehors.

— L'orage s'éloignera bientôt, lui disait-il encore, la voix apaisante, ses bras se resserrant autour d'elle alors qu'elle tressaillait au son d'un dernier coup de tonnerre.

Dix minutes plus tard, comme le bruit de la pluie se faisait plus fort que celui de l'orage, Faith essaya de se persuader qu'il avait raison.

— J'aurais dû arriver plus tôt, mais un arbre était tombé en travers de la route et j'ai dû faire un détour.

Il avait donc pensé à elle… était revenu pour *elle* ?

Le parfum suave de Nash qu'elle sentait flotter autour d'elle l'enivrait davantage lorsqu'il émanait de son corps et avait ce pouvoir, presque magique, de la réconforter, tout en la rendant réticente à s'écarter de lui. La seule pensée de retourner dans sa chambre où elle savait qu'elle resterait éveillée le reste de la nuit, redoutant le retour de l'orage, la faisait frémir d'anxiété.

Il y avait tant d'années, lorsque l'orage s'était éloigné, Nash avait insisté pour qu'elle retourne dans sa chambre. A présent, elle devinait qu'il commençait à s'écarter d'elle.

— Non.

Elle s'accrocha immédiatement à sa manche.

— Ne me renvoie pas dans ma chambre, Nash, le supplia-t-elle. L'orage pourrait revenir.

— Tu veux rester *ici* ?

Il faisait trop sombre pour qu'elle puisse voir l'expression de son visage mais elle entendit le timbre sombre de sa voix.

En des circonstances normales, la fierté aurait dicté sa réponse, mais en cet instant, elle n'en éprouvait plus aucune.

— Oui, je veux rester, avoua-t-elle en prenant une profonde aspiration hésitante, avant d'ajouter :

— Je veux rester avec toi. Je veux rester avec toi, ici, Nash, insista-t-elle, de peur qu'il ne comprenne pas son besoin. Jusqu'à ce que l'orage soit terminé, murmura-t-elle. Rien que ce soir.

Alors qu'il laissait échapper un soupir lent et prudent dans l'obscurité, par-dessus sa tête inclinée, son corps léger dans les bras, Nash acquiesça, la voix voilée :

— Rien que ce soir.

# 9.

— Tu ne vas pas t'endormir et… et me laisser éveillée toute seule, n'est-ce pas ?

L'interrogation anxieuse de Faith lui parvint à travers l'obscurité qui les enveloppait, sa nervosité de petite fille faisant vibrer ses cordes sensibles. Il avait réussi à la persuader de lâcher l'oreiller et de le laisser aller en chercher deux autres dans sa chambre mais, par un hasard malencontreux, l'orage était revenu tonner une dernière fois pendant sa brève absence et il l'avait retrouvée de nouveau recroquevillée sur le lit, quasiment paralysée de terreur.

Découvrant qu'elle était nue sous le drap auquel elle s'agrippait comme à une bouée de sauvetage, il regretta ne pas avoir rapporté de sa chambre autre chose que des oreillers. Quand il voulut la laisser une fois encore pour y retourner, elle refusa de le laisser partir, s'accrochant à son bras de toutes ses forces.

— Il faut que je me déshabille, Faith, expliqua-t-il avec patience. Je veux aussi prendre une douche et me raser.

Il la vit tourner la tête vers la salle de bains attenante.

— Si cela peut te rassurer, tu peux venir avec moi, proposa-t-il sur le ton de la plaisanterie afin de la distraire de sa peur.

Avec réticence, elle le laissa s'éloigner.

— Tu reviens vite, n'est-ce pas ? le pressa-t-elle, alors qu'il gagnait sa salle de bains.

— Promis !

Comme elle, il avait pour habitude de dormir nu. Mais ce soir… Quelque peu agacé, il noua une serviette autour de ses reins après s'être séché de sa douche, puis retourna dans la chambre.

Il retrouva Faith exactement là où il l'avait laissée.

A présent étendus dans le même lit, Faith si proche de lui qu'il sentait et entendait sa respiration, Nash se demanda avec une ironie désabusée, si elle imaginait à quel point il était peu probable qu'il parvienne à trouver le sommeil ! Peut-être d'ailleurs valait-il mieux qu'elle n'en sache rien !

L'orage avait cessé, laissant derrière lui une atmosphère plus fraîche et plus sereine. Tel un félin, Faith s'étira, se délectant de l'agréable chaleur du grand lit, consciente de la présence protectrice de Nash à côté d'elle. Un sourire endormi, sensuel et délicieusement féminin illumina son visage alors que ses sens apaisés réagissaient à la proximité de Nash.

Instinctivement, elle se pelotonna plus près de lui, sa main se glissant autour de son bras dans un geste possessif, ses poumons laissant échapper un soupir lascif et ses lèvres se blottissant contre la tiédeur de son cou.

Ainsi plongée dans cet état de demi-sommeil, elle n'avait aucun mal à abattre les barrières qu'elle avait érigées autour de ses sentiments et à laisser se révéler son être le plus intime et le plus sensuel.

Elle s'appropriait enfin le Nash qu'elle avait tant désiré, bien des années auparavant et, inconsciemment, son corps enregistra cette information, répandant dans ses veines un élixir apaisant, mélange d'émotions, de désirs et d'un autre ingrédient puissant que son être intérieur reconnaissait.

— Mmm…

Comme elle caressait la peau nue du bras de Nash et goûtait doucement, de ses lèvres entrouvertes, la chaleur de sa gorge, son corps tout entier fut submergé par une onde délicieusement langoureuse de plaisir féminin.

— Mmm…

Elle se rapprocha encore, son corps effleurant celui de Nash alors qu'elle l'explorait du bout des doigts.

Ce dernier avait peine à trouver le repos, s'assoupissant quelques secondes pour se forcer à rouvrir les yeux aussitôt, au cas où… Au cas où quoi ? se demanda-t-il.

Certainement pas au cas où Faith entreprendrait ce qu'elle était précisément en train de faire. *Non…* Il craignait plus que tout ce que *lui* serait tenté de faire…

Après les accusations qu'elle lui avait jetées au visage le jour de leur mariage, il s'était juré ne plus jamais la toucher, aussi intense que puisse être son envie. Il ne voulait pas avoir l'impression de la contraindre à un rapport sexuel. Tout comme l'amour, c'était quelque chose qu'il voulait pleinement partager avec elle.

Il serra les dents pour retenir le gémissement rauque de plaisir que son simple contact éveillait en lui.

Puis, incapable d'endiguer la réaction de son corps à la caresse des doigts de Faith, il fit la seule chose qu'il était en mesure de faire : il saisit le bras de la jeune femme pour éloigner sa main. Tandis qu'il faisait ce mouvement, la chaleur de sa poitrine nue effleura sa peau.

Aussitôt, un frisson long, lent et incontrôlable le traversa tandis que la plainte qu'il ne retenait plus réveillait Faith.

Stupéfaite de se trouver allongée au côté de Nash, elle le dévisagea, les yeux emplis d'émotion, et le corps encore bien trop intensément affecté par sa proximité, pour écouter les messages de prudence que sa raison lui adressait.

Avait-elle seulement idée de la sensualité qui émanait de son regard ? se demanda Nash avec désespoir, alors qu'il sentait son sang-froid s'amenuiser.

— Nash…

Faith se pencha vers lui en murmurant son nom, ses lèvres s'entrouvrant en une invitation provocante et irrésistible. Nash hésita. L'expression des yeux de Faith s'approfondit et s'assombrit ; elle s'approcha encore, pressant sa poitrine contre son torse et posant sa bouche sur la sienne.

Elle était peut-être restée vierge de longues années, constata Nash en l'enlaçant et en s'emparant de sa bouche à son tour, mais quand il s'agissait de tenter un homme, elle savait assurément être femme !

Faith avait la sensation d'être sur le point de se consumer alors que Nash l'embrassait. Si elle était à présent totalement éveillée, mentalement consciente de la réalité, son corps en revanche restait soumis à l'envoûtement voluptueux créé par cette proximité de toute une nuit avec Nash.

— Nash…

Lorsque leurs bouches se séparèrent, elle leva la main et caressa délicatement ses lèvres. Il se serra contre elle.

Des lèvres, du bout de la langue, il effleura ses doigts les uns après les autres, puis sa main se referma sur son poignet et sa bouche glissa lentement vers sa paume, la faisant frissonner, avant de reprendre sa quête le long de son bras, s'attardant encore dans le creux sensuel de son coude, jusqu'à la faire vibrer presque violemment.

Une onde de plaisir la parcourait à présent tout entière, son corps frémissant d'une explosion de sensualité aussi éternelle qu'intemporelle.

Dans la lueur pâle, elle distinguait l'arrondi de sa poitrine et, cernés de leur aréole sombre, la pointe dressée de ses seins, déjà avides de la succion érotique de la bouche de Nash.

Sous le drap, ses hanches s'animèrent, se soulevèrent alors qu'elle se serrait encore plus près… toujours plus près. Un spasme presque brutal de plaisir la bouleversa lorsqu'elle sentit la pression dure et chaude du sexe dressé de Nash.

Ils ne s'étaient encore qu'embrassés… Elle désirait davantage… Elle désirait tous ses baisers… Elle le désirait tout entier…

Nash essaya de se rappeler toutes les raisons pour lesquelles il ne devait pas céder, mais son esprit entendait un tout autre discours : Faith lui appartenait, ils étaient mariés, c'était son destin…

Faith eut l'impression de connaître enfin l'extase, d'atteindre cet endroit où elle se sentait immortelle, invincible. Plus terrifiant encore, elle eut la sensation que Nash et elle se trouvaient enfin sur un pied d'égalité.

Plus aucun obstacle ne se dressait entre eux. Il ne s'agissait pas seulement de la rencontre de deux corps nus, mais de la fusion de deux âmes nues. Instinctivement, et immédiatement, Faith sut que le miracle s'était produit. Elle sentit en elle l'ultime assaut du désir de Nash qui l'emmena vers la volupté, et elle sut à cet instant qu'ils venaient de créer une vie nouvelle.

Nash ne trouvait pas le sommeil. La colère, la culpabilité, le désespoir et l'espoir absurde que les choses puissent être différentes le privaient du repos dont Faith jouissait.

Comme elle, il avait eu vivement conscience de l'union magique qu'ils avaient partagée. Comme elle, une partie de lui avait senti que c'était le destin qui les avait réunis. Mais, cet instant avait pris fin, et il devait de nouveau faire face au dilemme qu'il avait dû affronter tant de fois déjà. Il restait encore incapable de concilier ce qu'il éprouvait pour Faith, en termes d'amour, et ce qu'il avait conscience de devoir éprouver, à cause de sa trahison passée.

S'il s'autorisait à aimer Faith, il finirait par se haïr lui-même. S'il se forçait à la détester, il…

En proie à l'agitation, il se leva. Toute sa vie d'adulte, il avait pris ses propres décisions et s'y était conformé. Aujourd'hui pourtant, il comprenait qu'il avait besoin d'aide. Il avait besoin de la sagesse et de la compassion de Philip.

Il prit une douche et s'habilla, quittant la maison pendant que Faith dormait encore. Il avait besoin d'être seul pour combattre ses propres démons. En présence de Faith, il lui était impossible de se concentrer, et de penser à tout autre chose qu'à son amour pour elle.

Voilà ! *Enfin*, il l'avait admis ! Il s'était autorisé à reconnaître la vérité…

Même s'il lui en coûtait de l'avouer, l'amour qu'il éprouvait à présent pour Faith n'était pas différent de celui qu'il avait éprouvé avant qu'elle n'agresse Philip.

Sa conscience, sa logique, sa fierté avaient beau affirmer qu'il devait considérer les choses autrement, qu'il devait la détester pour ce qu'elle avait fait et se mépriser de chercher à l'excuser, elles ne pesaient pas lourd dans la balance qui penchait en faveur de son amour. Un amour peut-être entaché de chagrin et de culpabilité, mais un amour qu'il ne pouvait néanmoins ignorer ou défier.

Pendant leur étreinte, alors qu'il la tenait dans ses bras et répondait à sa douce sensualité, il avait découvert la femme qu'il avait toujours su qu'elle deviendrait : une femme dotée d'un charme exquis, mais capable d'une grande passion sensuelle.

Faith était un mystère, une énigme, une question à laquelle il ne parvenait pas à trouver de réponse logique. C'était comme si, en s'attaquant à son parrain, elle avait en quelque sorte jailli de son propre personnage et s'était comportée de façon étrangère à sa véritable nature.

Irrité par le tour que prenaient ses propres réflexions, Nash monta en voiture et tourna la clé de contact.

Philip était enterré non loin d'Oxford, dans la paix et la tranquillité du petit cimetière de l'église où les parents de Nash s'étaient mariés et où ils reposaient, eux aussi. Tout en conduisant, Nash se souvint combien il avait à demi espéré et à demi redouté la présence de Faith aux funérailles de Philip pour apprendre, plus tard, que sa mère était décédée quelques jours après ce dernier.

Il se rappela aussi n'avoir pu être présent lors du premier anniversaire de la mort de Philip. Revenu de New York plusieurs jours après, il avait découvert que quelqu'un s'était rendu sur sa tombe, avait planté ses fleurs préférées et avait déposé un bouquet de roses parfumées qui commençaient à peine à se faner.

Il avait su qui les avait déposées avant même de lire le message de Faith.

« Pour Philip,

» Tendrement aimé et douloureusement regretté.

» Votre confiance en moi a illuminé mes ténèbres et votre inspiration me guidera tout au long de ma vie.

Faith »

Nash se frotta les yeux au souvenir des larmes qu'il avait versées. Des larmes de fureur et d'abnégation, des larmes qui lui avaient brûlé les yeux, au lieu de le soulager.

La duplicité de Faith l'avait rendu furieux et il avait été tenté d'aller la trouver sur-le-champ afin de lui dire précisément *qui* payait ses précieuses études et *qui* elle devait remercier pour cette seconde chance qui lui était offerte dans la vie. Mais, bien entendu, il n'en avait rien fait.

Œil pour œil, dent pour dent et cœur pour cœur ? Faith avait-elle seulement un cœur ? Il aurait bien aimé le savoir.

Un peu nerveuse, Faith sortit de la chambre et se dirigea vers l'escalier. Elle s'était réveillée une heure plus tôt, le corps si merveilleusement détendu qu'elle avait rougi de confusion en se rappelant la raison de ce bien-être.

Seule dans le lit, elle avait supposé que Nash se trouvait dans la salle de bains. Mais comme elle n'entendait aucun bruit, elle avait finalement rassemblé son courage, s'était levée et avait vérifié par elle-même.

Elle était reconnaissante à Nash de pouvoir lui permettre de réfléchir seule, ce matin. Elle n'avait pas l'intention de se mentir à elle-même. C'était elle qui avait provoqué leur… intimité. C'était elle qui s'était tournée vers lui, qui l'avait touché, embrassé…

Elle avait les joues en feu à présent. Elle essaya désespérément de penser de façon rationnelle. Mais que valaient la raison et la logique, alors que son corps se sentait encore si langoureux et si délicieusement éperdu de plaisir et que son cœur débordait de la plus intense des émotions ?

Nash et elle avaient fait l'amour. Fait l'*amour*. Ils n'avaient pas eu un banal rapport sexuel. Et dès qu'elle le pourrait, elle demanderait à Nash d'accepter de l'écouter pendant qu'elle lui expliquerait ce qui s'était véritablement passé au cours de cette nuit fatidique. Cette fois-ci, elle trouverait un moyen de lui faire comprendre. Parce que… Elle porta timidement la main à son ventre tandis que son sourire s'illuminait de bonheur et de joie et qu'elle poussait un soupir tremblant de certitude.

Cet aveu, elle ne le ferait pas seulement pour elle-même, parce qu'elle aimait toujours Nash, se dit-elle avec détermination. Elle le ferait pour le bien de l'enfant qu'ils avaient conçu. Tous deux le lui devaient afin qu'il reçoive non seulement l'amour de chacun, mais également leur amour *commun*.

Avec ténacité, elle se refusa à envisager que Nash pourrait ne pas partager ses sentiments. Etant donné ce qu'ils avaient vécu ensemble, il serait sûrement de son avis.

Instinctivement, elle porta la main à son annulaire et fronça les sourcils. Sa bague de « fiançailles » avait disparu ! Seule restait son alliance. L'avait-elle retirée la nuit précédente, pendant l'orage, sans s'en rendre compte ?

Elle était à mi-chemin dans l'escalier lorsque retentit la sonnette d'entrée. La présence du notaire sur le perron la déconcerta un instant, mais elle le fit entrer dans le bureau de Philip, avant de partir à la recherche de Nash. Elle s'aperçut presque aussitôt que sa voiture n'était plus garée devant la maison. Nash était sorti.

— Cela n'a aucune importance, lui assura David Lincoln. Je venais seulement lui rapporter quelques documents. Il les a oubliés la nuit dernière. Il était tellement pressé de vous rejoindre, commenta-t-il dans un sourire.

» En tout cas, voilà ce que l'on pourrait décrire comme une fin heureuse ! Je ne vous cache pas que lorsqu'il m'avait fait part de ses intentions, il y a bien des années, j'avais eu quelques inquiétudes. Mais Nash étant Nash, il s'était montré inflexible. « C'était le souhait de Philip que Faith poursuive ses études », m'avait-il dit. Il était déterminé à faire son possible pour financer votre projet, en dépit du fait que la succession de Philip ne disposait pas de fonds suffisants pour l'exécution d'une telle clause.

» Je dois avouer que je n'ai jamais vraiment compris pourquoi Nash tenait tant à ce que sa participation reste secrète, ni pourquoi il voulait que vous croyiez que plusieurs administrateurs géraient votre part d'héritage, alors qu'en fait, il était seul… payant vos études sur ses propres deniers.

Abasourdie, Faith perdit le fil du discours du notaire.

C'était donc Nash, et non Philip, qui avait payé ses études à l'université ! Nash qui l'avait soutenue financièrement pendant toutes ces années !

Elle se sentit submergée par un terrible sentiment d'hébétude nauséeuse. Un froid glacial remplaça la délicieuse fièvre qui l'enveloppait depuis son réveil. Nash la possédait. Il l'avait achetée… et la nuit précédente, il n'avait fait que réclamer son dû.

Une vague dévastatrice de solitude la ravagea. Elle eut l'impression d'être dépossédée de quelque chose d'infiniment précieux, même s'il lui fallut plusieurs minutes pour comprendre de quoi il s'agissait.

Ce qui avait rendu le cadeau de Philip si cher à ses yeux avait été cette certitude qu'il la savait innocente. Mais Philip avait-il vraiment voulu l'aider ou était-ce simplement un autre mensonge de Nash ?

Nash gara sa voiture devant l'entrée de Hatton et prit une profonde inspiration. La paix de l'esprit et les bonnes résolutions cruellement acquises sur la tombe de Philip subsistaient-elles en lui ou l'avaient-elles abandonné ? Avait-il enfin réussi à exorciser le passé ? Etait-il capable, pour aller de l'avant, de tirer un trait sur les événements qui avaient conduit à la mort de Philip ?

Il aimait Faith, quoi qu'elle ait fait. Il le savait. Il savait aussi, qu'adolescente, elle l'avait aimé. Et la nuit précédente, dans ses bras, il avait ressenti la force de leur amour mutuel… Mais pour donner une chance à ce sentiment, il devait mettre de côté sa propre amertume.

Aujourd'hui, alors qu'il était agenouillé dans l'herbe tendre du cimetière qui entourait l'église, il avait compris qu'indiciblement Philip lui donnait sa bénédiction, l'exhortait à construire une nouvelle vie pour lui-même et pour Faith. Pour la première fois depuis la tragédie, Nash s'était réellement senti en mesure d'admettre son propre sentiment de culpabilité de n'avoir pas été présent lorsque Philip avait eu le plus besoin de lui — une culpabilité qu'il avait jusqu'alors rejetée sur Faith. Leur relation parviendrait-elle à surmonter cet obstacle ? Il n'en avait pas la moindre idée, mais il savait qu'ils devaient discuter.

Faith l'avait vu arriver et elle l'attendait de pied ferme.

— Je veux te parler…

— Il faut que l'on parle…

Ils s'étaient exprimés en même temps et se turent aussitôt.

— Allons dans le bureau de Philip, veux-tu ? dit Nash d'une voix presque tendre, au point que, pendant une seconde, la résolution de Faith vacilla.

Peut-être avait-elle mal compris ?

Nash la guidait déjà vers le bureau, sa main ne quittant pas le creux de ses reins alors qu'il s'arrêtait pour refermer la porte, presque comme s'il ne supportait pas de rompre ce contact physique.

Elle n'attendit même pas qu'il ait fini de fermer la porte pour prendre la parole et demander brutalement :

— Est-ce vrai que tu as payé mes études à l'université, Nash ? Est-ce vrai qu'il n'existait aucun legs de la part de Philip ?

Nash fronça les sourcils alors qu'elle lui jetait ses questions enflammées au visage. Sa colère était aussi incompréhensible pour Nash que l'était la raison de ses questions.

— Qu'est-ce qui te fait penser que…, commença-t-il mais elle l'interrompit.

— Ton notaire sort d'ici. Il m'a tout dit. Il semble penser que ceci…

Elle leva la main gauche, montrant son alliance, la voix pleine de mépris.

— … que ceci est l'apothéose d'une histoire romantique entre nous ! Si seulement il savait la vérité ! Si tu cours après moi, c'est uniquement par vengeance ! N'est-ce pas ce qui te motive, Nash ? Une espèce de désir pervers de me contrôler, d'acheter mon avenir pour avoir le possibilité de me détruire, si tu le voulais ?

Faith savait qu'elle maîtrisait de moins en moins sa voix, ni même ses accusations, à mesure que son imagination la tourmentait en inventant des motifs de plus en plus choquants pour expliquer les agissements de Nash.

— Philip voulait que tu aies la chance de réaliser tes ambitions, répondit Nash calmement dès qu'il comprit.

— Te l'a-t-il demandé ? questionna Faith amèrement. T'a-t-il demandé de financer mes études ?

Nash fut forcé d'avouer la vérité :

— Non. Il voulait faire quelque chose pour t'aider. Il l'avait écrit dans son testament…

Nash s'arrêta et détourna le regard.

— Malheureusement, à la fin, il n'a pas pu ni physiquement, ni financièrement prendre les dispositions qu'il souhaitait.

— Alors tu l'as fait à sa place, intervint Faith violemment. Pourquoi ? Pourquoi l'as-tu fait, Nash ? Voulais-tu avoir une emprise sur moi ? Etre en position de continuer à me punir pour la mort de Philip ?

La justesse des accusations qu'elle lui jetait au visage surprit Nash et le choqua aussi. Entendre ses propres soupçons ainsi formulés, leur conférait une brutalité, une cruauté aveugle qui lui laissait un goût amer dans la bouche. Etait-il trop tard pour implorer la clémence de Faith ? Ou bien réagirait-elle comme il avait réagi lorsqu'elle l'avait imploré de lui accorder cette même bonté ?

Au fil des ans, combien de fois avait-il été hanté par cette question... par ce remords ? Mais comment pouvait-il à présent espérer qu'elle comprendrait qu'il avait refusé de la voir simplement parce qu'il avait eu peur de faiblir ; parce qu'il avait cru passionnément qu'il devait à son parrain de se montrer inflexible avec elle ?

Alors qu'elle attendait sa réponse, Faith faisait tourner son alliance autour de son doigt.

Perdu dans ses réflexions, Nash se concentra sur son mouvement. Quand elle s'aperçut de son regard fixe, Faith s'arrêta aussitôt. Nash regardait ses mains, ses bagues. Elle ne portait pas sa bague de fiançailles car elle n'avait pas encore réussi à la retrouver... Cette bague de fiançailles qui avait une troublante ressemblance avec les boucles d'oreilles que les « administrateurs » de Philip lui avaient offertes à l'occasion de son vingt et unième anniversaire... et auxquelles elle accordait une très grande valeur.

Le sentiment d'avoir été dupée, trahie, la submergea alors.

— C'est *toi* qui as acheté mes boucles d'oreilles !

Nash tressaillit, frappé par l'amertume qui perçait dans sa voix.

— Philip aurait voulu que je le fasse, dit-il pour se justifier.

— Comment as-tu *pu* ? dit Faith, dans un murmure rauque. Comment as-tu pu faire une chose pareille et continuer à croire que j'étais responsable de la mort de Philip ? Peux-tu seulement imaginer ce que j'éprouve à savoir que je te dois tout ce que je suis ? Mes études, mes diplômes, mon stage à Florence, mon travail !

— Tu as obtenu ton travail grâce à tes aptitudes, Faith.

— Non. Je l'ai obtenu avec ton argent. Ton argent et les études que tu m'as payées. Sais-tu à quel point je déteste cette idée, Nash ? A quel point je déteste savoir que tout ce que je suis, je le dois à ton aumône ? C'est donc ce que tu voulais ? Te pavaner et jubiler ? Comme tu as dû t'amuser de savoir avec quelle facilité tu pouvais me détruire ! Est-ce la raison pour laquelle tu m'as mise dans ton lit, Nash ? Parce que tu estimes que je t'appartiens ?

Nash voyait les larmes de fureur et de honte briller dans les yeux de la jeune femme et il soupira, pestant mentalement contre les révélations innocentes et intempestives de son notaire.

— Ce n'est pas moi qui suis à l'origine de ce qui s'est passé entre nous, essaya-t-il de lui rappeler.

Il sut qu'il aurait mieux fait de se taire lorsqu'il vit l'expression de son visage.

— Je te déteste Nash, je te *déteste* !

Sur ce, elle lui tourna le dos brusquement et se précipita vers l'escalier.

# 10.

Faith faisait les cent pas dans le vestibule. Robert devait arriver d'une minute à l'autre. Il lui avait téléphoné, la veille au soir, pour la prévenir de sa visite.

— Je passerai en coup de vent, juste pour prendre quelques nouvelles, avait-il dit, avant d'ajouter avec regret :

— Malheureusement, nous n'aurons guère le temps pour quoi que ce soit d'autre.

— Comment va votre cousin ? avait demandé Faith.

— A merveille ! Il aura bientôt quatre-vingt-dix ans et compte bien devenir centenaire !

Puis il avait dû raccrocher, pour répondre à un autre appel, avant qu'elle ait le temps d'ajouter un mot.

Comment allait-elle pouvoir lui expliquer qu'il lui semblait impossible de réaménager la maison ? Elle avait terriblement envie de lui donner de bonnes nouvelles mais, plus elle y réfléchissait, et moins elle trouvait Hatton adaptée aux besoins de la Fondation.

Robert comptait beaucoup sur le succès de ce projet, et elle souhaitait le mener à bien, par égard pour lui. Peut-être un autre architecte plus expérimenté parviendrait-il à trouver les solutions qui lui échappaient obstinément ?

A peine entendit-elle une voiture s'arrêter au dehors qu'elle se précipita pour ouvrir la porte. Mais lorsqu'un rayon de soleil fit briller l'or de son alliance, elle suspendit son geste.

Il lui faudrait aussi annoncer cette nouvelle à Robert. Que pourrait-elle lui dire ? Certainement pas qu'elle était piégée dans un mariage qui n'en était pas un, et qui ne le serait jamais. Elle ne pourrait pas non plus lui avouer que chaque soir, dans son lit – ce lit où elle dormait seule – elle priait avec ferveur pour s'être trompée en ayant cru voir s'animer une étincelle de vie, lorsque Nash et elle avaient fait l'amour.

« Fait l'amour » ! Quelle plaisanterie ! Dans son esprit peut-être, mais pour Nash, il ne s'agissait que d'un retour sur investissement.

Ils s'étaient à peine adressé la parole, depuis sa violente explosion de colère, quand elle lui avait reproché le rôle caché qu'il avait joué dans sa vie. Ou plutôt, elle avait fait échouer toutes les tentatives de Nash pour lui parler, en l'évitant ou en s'éloignant chaque fois qu'il essayait de venir vers elle.

Ce matin, quand il était entré dans la cuisine où elle se trouvait déjà, elle avait compris, à l'expression de son visage, qu'il avait la ferme intention de l'obliger à l'écouter. Déterminée à ne pas lui accorder la moindre attention, elle s'en était allée aussitôt. Comme elle passait en trombe devant lui, Nash avait essayé de la retenir par le bras. Il ne lui avait pas réellement fait mal, mais il avait mis suffisamment d'autorité dans son geste pour raviver la fureur qui couvait toujours en elle.

Par le plus grand des hasards, Mme Jenson était arrivée. Nash n'avait pas eu le temps de dire quoi que ce soit, et Faith avait profité de l'occasion pour s'échapper. Mais elle avait vu, à son regard, qu'elle était en train de le pousser à bout.

Elle s'en moquait éperdument.

Recouvrant ses esprits, elle ouvrit la porte et fit entrer Robert.

— Quel bonheur de quitter la ville pour respirer un air pur ! lança-t-il avec enthousiasme.

Puis, portant sur Faith un regard admiratif qui trahissait un enthousiasme encore plus grand que son avis sur la qualité de l'air, il la suivit dans le bureau.

— Comment les plans avancent-ils ?

La question, empreinte de curiosité et d'impatience, déstabilisa Faith un instant. Oubliant de refermer la porte, elle gagna rapidement sa table de travail.

— Je rencontre quelques problèmes, avoua-t-elle. La cuisine…

Elle tendit la main pour situer la pièce sur les plans et se tut dès qu'elle s'aperçut que Robert fixait son alliance.

— Nash et moi sommes mariés, expliqua-t-elle avec une gêne profonde. C'était… Nous ne… Je…

Sa voix se fit balbutiante lorsqu'elle comprit combien Robert était stupéfait.

— Je savais que vous vous connaissiez de longue date, reprit-il vaillamment, mais je ne…

Avec un sentiment d'anxiété mêlé de culpabilité, Faith le regarda secouer la tête. Il n'y avait rien eu de sérieux entre eux, et elle n'avait aucune raison de se sentir fautive. Cependant, elle comprenait que cette nouvelle s'avérait inattendue et pénible pour lui.

A son grand soulagement, cependant, Robert se ressaisit aussitôt et lui confia d'un air piteux :

— Lorsque je vous ai demandé d'user de votre influence pour persuader Nash de finaliser la donation de Hatton à la Fondation, je ne m'attendais pas que vous alliez à de telles extrémités, vous savez !

Avec générosité, il s'efforçait de tourner la situation en dérision et Faith lui en fut très reconnaissante.

A quelques pas, dans le hall, Nash s'immobilisa. Il venait à la rencontre de Robert et avait tout entendu.

Son interprétation, aussi immédiate qu'instinctive, des paroles de Robert l'emplit d'une colère amère. Faith l'avait manipulé. Elle avait profité de l'amour qu'il éprouvait pour elle, afin de parvenir à ses fins.

Faith esquissa un sourire mal assuré et secoua la tête.

— J'aimerais tellement pouvoir faire quelque chose pour vous aider, Robert ! Vous avez été si gentil pour moi !

Malgré elle, ses yeux se remplirent de larmes qu'elle ne parvint pas à dissimuler.

— Allons, allons ! Pourquoi ces larmes ? dit Robert, en s'approchant d'elle et en la serrant dans ses bras pour la réconforter.

Le dos tourné à la porte et le visage enfoui contre l'épaule de Robert, Faith ne vit pas Nash entrer vivement dans le bureau. Robert lui, l'aperçut, eut un mouvement de recul et balbutia, la voix empruntée :

— Nash ! Vous voilà ! Toutes mes félicitations ! Faith vient de m'apprendre la bonne nouvelle.

— C'est ce que je vois, en effet, constata Nash, la voix cassante.

Il lança à Faith un regard de mépris glacial, puis se tourna vers Robert :

— Peut-être, lorsque vous en aurez terminé avec vos « félicitations », pourrez-vous m'accorder cinq minutes ? Je souhaiterais m'entretenir avec vous.

Debout derrière la fenêtre de sa chambre, Faith regarda Robert monter en voiture et s'éloigner. Après l'entrée fracassante de Nash dans le bureau, elle avait laissé les deux hommes à leur discussion et était venue se réfugier dans sa chambre.

La colère et la rancœur lui avaient mis les joues en feu.

Nash n'avait strictement aucun droit de la regarder comme il l'avait fait, avec cet air de dédain… de dégoût presque inhumain. Robert, à en juger sa réaction, avait manifestement cru affronter un mari excessivement jaloux, mais elle-même n'avait pas été dupe.

Combien de temps encore, lui faudrait-il attendre avant de savoir, si oui ou non, elle portait l'enfant de Nash ? Combien de jours de répit pouvait-elle s'accorder ? Elle savait qu'il existait des tests disponibles en pharmacie, mais n'était-il pas encore trop tôt ?

Elle sursauta lorsque la porte de sa chambre s'ouvrit à toute volée. Nash s'avança vers elle.

— Alors, comme ça, Ferndown t'a demandé d'user de ton « influence » avec moi ? lança-t-il sans préambule. Inutile de nier, Faith. J'ai entendu votre petite conversation.

— Et selon tes bonnes habitudes, Nash, tu en as aussitôt tiré des conclusions hâtives et tu t'es forgé ta propre opinion ! Est-ce qu'il ne t'est jamais venu à l'esprit que tu pouvais te tromper ? Non, bien sûr, tu ne te trompes jamais, toi ! se récria Faith avec mépris. La seule préoccupation de Robert était de connaître la position de la Fondation par rapport à Hatton. Il n'a pas compris... Il ne savait pas...

— Qu'est-ce qu'il ne savait pas, Faith ? Jusqu'où tu serais capable d'aller... A quel point tu pourrais être *dévouée* ? Quel imbécile je suis ! J'ai pourtant lu les bulletins de tes professeurs, et je me suis quand même laissé avoir. Dis-moi, combien de fois étais-tu prête à coucher avec moi avant d'exiger ce que tu voulais ?

Elle hoqueta de fureur.

— Comment oses-tu ? Je n'ai pas...

— Que vas-tu nier, à présent Faith ? Que coucher avec moi n'était pas une manœuvre calculée ? Que tu n'as pas agi dans ton propre intérêt et par appât du gain ? Si ce n'était pas pour ça, Faith, alors pourquoi l'as-tu fait ? demanda-t-il avec une douceur effrayante. Pour ça, peut-être ?

Aussi promptement qu'un fauve qui se jette sur sa proie, il se rua sur elle et l'emprisonna contre son corps.

« Ne me touche pas ! » Ces mots, que Faith voulait hurler, refusèrent de jaillir de sa gorge, et ses poings serrés, avec lesquels elle voulait marteler la poitrine de Nash, restèrent inertes le long de son corps.

Prise de vertige, elle n'aurait pu dire ce qui la paralysait si totalement : était-ce sa propre colère ? Ou bien le pouvoir masculin que Nash exerçait sur elle ?

— Tu es ma femme, Faith, l'entendit-elle revendiquer alors qu'il s'emparait de sa bouche. Tu es à moi…

Elle était sa femme, en effet, puisqu'il l'avait achetée ! La sauvagerie insensée de sa propre réaction la choqua, mais dans sa lutte contre son baiser possessif, elle fut impuissante à maîtriser la cruauté avec laquelle elle mordit ses lèvres.

Faith entendit l'imprécation que Nash laissa échapper sous la violence de sa morsure. Pourtant, il ne cessa pas de l'embrasser. Alors, à peine consciente de ses gestes, Faith griffa les bras de Nash, gesticula, s'agita et batailla pour échapper à son emprise. Et cependant, malgré l'ampleur de sa colère, quelque part au plus profond de son être, elle sentit grandir une sensation d'excitation et l'éveil d'un instinct dangereux et jusqu'alors inconnu.

Elle haletait d'exaltation et de désir pour Nash et, en même temps, ressentait une inimitié brutale à son égard.

Elle percevait les mêmes sentiments en Nash. Leur hostilité mêlée de désir créait un cocktail d'émotions volatiles et explosives qui traduisait la nécessité pour chacun d'eux de prouver lequel était le plus fort.

Alors qu'elle luttait, Faith sut que si elle remportait cette bataille et qu'il la laissait partir, elle éprouverait au plus profond de son être une douleur qui aurait désespérément besoin d'être satisfaite ; et que seul Nash pourrait satisfaire.

Elle se serra un peu plus près de lui et rejeta la tête en arrière pour offrir la douceur vulnérable de sa gorge. Son corps s'arc-bouta, ses lèvres étaient gonflées d'une passion brute.

Comme il baissait les yeux pour la regarder, Nash sentit ses muscles se contracter comme ceux d'un animal prêt à bondir pour achever sa proie. Il voyait battre la veine de son cou, et l'envie d'y poser sa bouche… de la prendre… de prendre Faith tout entière… se fit irrésistible.

Pourquoi devrait-il agir avec raison ou écouter une voix qui implorait la clémence ? Par ses propres actes, Faith ne s'était-elle pas mise dans une position où elle ne méritait ni l'une ni l'autre ? Il pouvait la prendre sur-le-champ, et se laisser emporter avec elle vers une destination torride qui, l'espace d'une seconde, aurait un goût de paradis. Mais ensuite, il lui faudrait vivre avec le souvenir de ce qu'il avait fait, de la situation dans laquelle il s'était laissé entraîner.

Brutalement, il la lâcha.

Hébétée, Faith dut se retenir pour ne pas tomber. Les yeux écarquillés de surprise et d'incrédulité, elle contempla la distance que Nash venait de mettre entre eux.

A mesure que le voile écarlate de la colère qui l'aveuglait se dissipait, Nash fut gagné par un sentiment révoltant de dégoût.

Tournant les talons, il se dirigea vers la porte.

Faith le regarda s'éloigner en silence. Tous deux avaient été au bord d'un précipice. Ce qui avait bien failli arriver entre eux à l'instant ne devait plus jamais avoir la moindre chance de se reproduire. Elle ne pouvait rester à Hatton plus longtemps, de toute façon. Même si… Elle porta les mains à son ventre et s'excusa en silence auprès de l'enfant qu'elle portait peut-être, de le priver de son père.

Dès son retour à Londres, elle contacterait Robert et lui raconterait son passé. Puis, elle chercherait un nouveau travail, à l'étranger peut-être— là où elle pourrait prendre un nouveau départ ; là où Nash ne pourrait pas la tourmenter et la blesser. Mais quelle que soit sa destination, elle ne pourrait échapper à la certitude de l'amour immense qu'elle éprouvait pour lui.

*
* *

Très attentivement, Faith parcourut sa chambre du regard.

Elle n'avait rien oublié — non pas qu'elle ait beaucoup à mettre dans ses valises. Sa robe de mariée et ses accessoires avaient été soigneusement rangés dans leur emballage. Nash pourrait en faire ce qu'il voulait. Si son humeur de la veille n'avait pas changé, il les brûlerait sans doute sur un bûcher surmonté de son effigie, songea Faith avec une ironie désabusée. Son travail, auquel elle avait mis la touche finale, attendait dans son cartable d'être remis à Robert. Il ne lui restait qu'un geste à faire.

Très doucement, elle retira son alliance, et la plaça dans l'écrin qui contenait ses boucles d'oreilles.

Nash avait quitté la maison un peu plus tôt, elle n'avait aucune idée de l'endroit où il était parti et ne voulait pas le savoir. Ainsi, au moins, elle pourrait s'en aller avec un semblant de dignité, sans faiblir, ni pleurer, ni l'implorer comme elle l'avait fait, tant d'années auparavant.

Elle fronça les sourcils en refermant le petit écrin. Elle n'avait toujours pas retrouvé sa bague de fiançailles. Peut-être Mme Jenson l'avait-elle découverte en faisant le ménage ? Très lentement et avec beaucoup de réticence, elle descendit l'escalier pour se rendre dans la cuisine.

Le regard sombre, Nash examinait le bâtiment qui se dressait devant lui. Véritable fardeau pour la municipalité à laquelle il appartenait, ce n'était plus qu'une ruine, avec ses vitres brisées et son terrain retourné en friche. Il l'avait toujours considéré comme un endroit lugubre et sans âme et avait été profondément désolé que Faith ait été obligée d'y habiter. Un foyer pour enfants ! C'était bien le dernier nom que l'on aurait pu lui donner.

Il ignorait totalement pourquoi sa route l'avait conduit jusque-là, ni quelles réponses il espérait trouver en ce lieu. Existait-il seulement des réponses à ses questions ? Comment pouvait-il aimer une femme qui le faisait se mépriser d'éprouver un tel sentiment ? Sur la tombe de Philip, il avait confié au vieil homme, qu'au moment des faits Faith était jeune et désorientée et, que si lui, Nash, n'oublierait jamais, il voulait néanmoins mettre le passé de côté et pardonner, prendre un nouveau départ pour elle et pour lui-même — et certainement plus important encore, pour l'enfant qui naîtrait peut-être. Et puis, il avait surpris sa conversation avec Ferndown ! Une fois encore, Faith s'était condamnée elle-même.

Le visage aussi triste et morne que la bâtisse, Nash se retourna sans un regard en arrière et reprit sa voiture.

— Madame Jenson ? Auriez-vous une minute ? Je voudr…

La stupéfaction figea Faith sur place lorsqu'elle reconnut la jeune femme qui se tenait au côté de la gouvernante.

— Charlene ? murmura-t-elle, complètement abasourdie.

— Tante Em m'a dit que tu étais revenue, lança cette dernière avec un sourire entendu. Pour une surprise, c'est une surprise ! Qui aurait cru que tu reviendrais, après ce que tu as fait ? Tu ne manques pas d'air… Attends seulement que tout le monde sache qu'une meurtrière habite ici…

Faith ne put en supporter davantage.

— Je ne suis pas une meurtrière ! se défendit-elle. Tu sais très bien que je n'ai rien à voir avec ce qui s'est passé. C'était toi, et le reste de ta petite bande ! Vous avez menti sur moi, vous m'avez accusée… alors que j'essayais seulement de protéger Philip.

Un instant, l'horreur du passé menaça de la submerger. Elle était encore sous le choc de rencontrer, dans cette maison même, la véritable instigatrice de l'agression, celle qui, sans aucune pitié, avait menacé et effrayé Philip. Elle tressaillit, lorsque la jeune femme, qu'elle avait connue sous le nom de Charlene Jenks, éclata de rire.

— Tu l'avais bien cherché, Mademoiselle-trop-polie-pour-être-honnête. T'as eu tout ce que tu méritais ! lança-t-elle méchamment. Je revois encore ton visage quand la police t'a embarquée avec nous autres. « Nash, ne les laisse pas m'emmener », railla-t-elle, en imitant la douce voix de Faith. « Nash, tu ne peux pas croire que je ferais du mal à Philip... »

« Et pourtant, il l'a cru ! Il aurait eu du mal à gober le contraire ; tu avais rendu les choses tellement faciles : prise sur le fait avec le portefeuille du vieux dans la main ! Nous, on a dit qu'on avait seulement suivi tes instructions. C'est ce qu'on a raconté et tout le monde nous a crues ! Y compris ton Nash adoré !

— Tais-toi, tais-toi ! protesta Faith, le visage blême, les mains sur les oreilles. Comment as-tu pu faire ça ? Comment as-tu pu le terrifier à ce point... lui faire autant de mal ?

La voix de Faith tremblait d'émotion. De l'autre côté de la porte restée entrebâillée, Nash était abasourdi.

Il venait juste de rentrer et s'apprêtait à se rendre dans la cuisine pour se préparer une tasse de café, lorsque les éclats de voix venant de cette pièce avaient attiré son attention. Il s'était arrêté et avait écouté. Au début, les battements de son cœur s'étaient accélérés, s'affolant à mesure que grandissait sa stupeur. A présent, son cœur cognait dans sa poitrine au rythme lourd et atroce d'un désespoir anxieux.

Faith était innocente... comme elle l'avait toujours clamé ! Comme elle devait le détester aujourd'hui !

Dans la cuisine, Charlene Jenks s'acharnait sur Faith.

— Tout marchait comme sur des roulettes... jusqu'à ce que tu débarques comme une folle et que tu nous fasses prendre. N'empêche qu'on t'a fait payer !

Sa hargne ne faisait que croître à mesure qu'elle parlait.

— T'as réussi à t'en tirer, quel dommage ! On sait bien qui est venu à ton secours. Il devait sacrément en pincer pour toi, ton précieux Nash, pour te défendre comme il l'a fait. On a tout entendu !

Il a supplié le magistrat de te traiter avec indulgence ! Il couchait déjà avec toi, c'est ça ? Toi, une mineure ! Attends un peu que je raconte ça à tout le monde.

A ces mots, Faith parvint enfin à surmonter sa torpeur.

— Je t'interdis de répandre le moindre mensonge au sujet de Nash, menaça-t-elle.

Elle avait peine à le croire. *Nash* avait intercédé en sa faveur ! C'était Nash qui l'avait défendue, qui lui avait épargné la prison…

Toujours caché derrière la porte, ce dernier en avait assez entendu. Il entra dans la cuisine et affronta Charlene qui, blême de surprise et de crainte, avait instinctivement reculé.

— Un *seul* mot de plus, une *seule* menace de plus et vous irez vous expliquer devant la police, lança-t-il. Quant à vous, poursuivit-il à l'adresse de Mme Jenson, vous êtes renvoyée. Et n'espérez pas une lettre de références.

— Mais je n'ai rien fait ! protesta cette dernière. C'est Charlene qui a voulu venir ici. Elle a dit qu'elle avait un vieux compte à régler.

Animée de malveillance, elle lança un regard noir à Faith. Nash fit un pas vers elle mais Faith secoua la tête et le retint.

— Non, Nash. Ignore-la.

— Je vous préviens, dit-il alors qu'il poussait la tante et la nièce vers la porte, je compte bien aller voir la police et porter plainte contre vous deux !

Au ton de sa voix, Faith sut qu'il ne s'agissait pas que d'une menace.

Peu à peu, elle sentit sa fébrilité s'apaiser et le temps que Nash referme la porte et qu'ils se retrouvent seuls, elle était parvenue à maîtriser le tremblement de ses membres.

— Que puis-je te dire ? dit Nash sombrement.

— Tu ne pouvais pas savoir, répondit Faith, la voix blanche. Toutes les preuves étaient contre moi. J'étais à côté de Philip, je tenais son portefeuille. Elles ont dit que j'avais tout prévu, que c'était mon idée.

— Tu m'as demandé de t'écouter… de te faire confiance…

Faith détourna le regard, sans ajouter un mot.

— Je n'aurais jamais dû laisser Philip seul ce soir-là, déclara Nash sur un ton sévère. Je savais combien il était devenu fragile, mais mon maudit travail…

Il formula ses regrets avec un tel dégoût de lui-même que Faith en eut le cœur serré. Timidement, elle tendit la main vers lui, dans un geste de réconfort, puis la laissa retomber.

— En faisant tout pour rejeter la faute sur toi, Faith, je ne voulais qu'esquiver ma propre culpabilité. J'avais besoin de te blâmer pour éviter de me blâmer moi-même.

— Pourquoi as-tu intercédé en ma faveur ? interrompit Faith à voix basse.

— A ton avis ? Tu devais bien savoir ce que j'éprouvais pour toi et comment…

La voix rauque, chargée d'émotion, il se tut. Faith le dévisagea.

— Je sais ce que moi, j'éprouvais pour toi, admit-elle avec hésitation. Tu étais attentionné envers moi, mais…

Elle hésita, cherchant comment ne pas se perdre dans les méandres du doute qui l'éloignaient de ses espoirs grandissants.

— Attentionné ? répéta Nash avec force. Mais, ce n'était pas de l'attention que je voulais te donner, Faith ! Ce que je *voulais* t'offrir, partager avec toi, c'était…

Il la regarda et elle vit briller dans ses yeux son désir ardent de mâle. Aussitôt, ses propres sens s'éveillèrent.

— Je te voulais, Faith, lui dit-il brutalement. Je te voulais de toutes les façons dont un homme de mon âge n'avait pas le droit de vouloir une petite fille.

— Je n'étais pas une petite fille, protesta Faith. J'avais quinze ans.

— Quinze ans, seize ans… Tu aurais pu avoir dix-huit ans même… Cela n'aurait rien changé, poursuivit Nash inflexiblement. Tu étais trop jeune, trop inexpérimentée pour ce que je voulais vivre avec toi.

Stupéfaite, Faith rétorqua violemment :

— Il n'y a pas que le sexe dans la vie ! Tu ne peux pas savoir ce qu'une personne ressent vraiment quand…

— Je ne parle pas d'expérience sexuelle, coupa Nash. Je parle de ton expérience de la vie, de ton droit de vivre ta vie pour toi-même et par toi-même. Si j'avais cédé à mes sentiments, à mon besoin, à mon amour pour toi…

Au seul mot « amour » prononcé par Nash, le cœur de Faith s'était emballé.

— … si je t'avais offert mon amour, à ce moment-là, je n'aurais pas seulement enfreint les lois de ce pays. J'aurais aussi enfreint mon propre code de moralité, celui que Philip m'a enseigné.

— Peut-être que si Philip avait pu se remettre totalement de son attaque et s'il avait pu te dire ce qui s'était passé, les choses se seraient déroulées autrement…

— Pourquoi aurais-je dû avoir besoin de Philip ? demanda-t-il durement. J'aurai dû comprendre par moi-même.

— Pourquoi as-tu financé mes études ? s'enquit Faith avec calme. Etait-ce seulement pour exercer un pouvoir sur moi ?

— C'était le souhait de Philip, répondit Nash brièvement.

Faith eut le sentiment qu'il ne lui disait pas tout.

— Et les boucles d'oreilles pour mon anniversaire ?

— Les rapports de tes professeurs soulignaient ton travail acharné. Je savais que tu n'avais pas de famille… Bon sang, Faith ! Que veux-tu que je te dise ? Que je les ai achetées pour toi, parce qu'il ne se passait pas une seule journée, sans que j'aie mal pour toi… qu'il ne se passait pas une seule nuit, sans je souhaite pouvoir oublier ce qui était arrivé à Philip ?

Un silence pesant suivit sa déclaration passionnée. Enfin, la voix tremblante, Faith demanda :

— As-tu offert Hatton à la Fondation à cause de moi ?

Nash nia d'un signe de tête.

— Pas consciemment. Mais…

— Mais… ? répéta Faith.

— Tu connais la vérité, Faith. Je ne pourrais jamais me pardonner.

— Dans le cas présent, n'est-ce pas plutôt à moi de te pardonner ? fit-elle remarquer, le souffle court et le cœur rempli d'espoir.

Nash n'essaya pas de saisir cette perche que Faith lui tendait pour franchir le gouffre qui les séparait.

— Tout ce que nous pouvons souhaiter à présent, c'est qu'il n'y ait pas d'enfant, déclara Nash avec difficulté. Nous devrions pouvoir mettre fin à notre mariage assez facilement.

Avec désespoir, Faith demanda :

— Et si moi, je ne veux pas y mettre un terme ?

Nash soupira et fit un pas vers elle.

— Crois-tu que je n'aie pas deviné ce que tu voulais réellement ? dit-il, la voix tendue. Il faut que je te laisse mener ta propre vie, Faith.

Que voulait-il dire ? se demanda-t-elle. Il devait pourtant bien savoir qu'il était tout ce qu'elle désirait. Etait-ce sa façon d'agir avec diplomatie, d'épargner sa fierté ? Mais, en cet instant, sa fierté était bien la dernière chose à laquelle elle tenait.

Lorsque Nash se dirigea vers la porte et s'éloigna d'elle, inexplicablement, elle ne lui posa pas la seule question susceptible de le faire rester auprès elle. Et si, comme elle le soupçonnait, elle était *effectivement* enceinte ? Voudrait-il toujours mettre fin à leur union ?

Dehors dans le jardin, Nash fixait l'horizon sans le voir. Il était trop tard maintenant pour regretter son comportement, mais il n'était pas trop tard pour affronter sa propre honte. Des années plus tôt, il avait refusé de croire Faith, parce qu'il avait eu peur de le faire. Il lui avait été tellement plus facile de se dire qu'elle ne méritait pas son amour, alors qu'en réalité, c'était lui qui ne méritait pas le sien !

Plus rien ne la retenait à Hatton désormais, songea Faith en regagnant sa chambre. Ne devrait-elle pas éprouver un sentiment de satisfaction que Nash ait enfin reconnu son innocence ? Au lieu de cela, elle souffrait de tout l'amour qu'elle éprouvait pour lui, désirant plus que tout qu'il l'aime aussi.

Machinalement, elle regarda son annulaire, privé de son alliance et de sa bague. Soudain, elle se rappela qu'elle portait sa bague de fiançailles, la nuit de l'orage lorsqu'elle s'était réfugiée dans la chambre et dans le lit de Nash…

Alors qu'il songeait au désert que sa vie était devenue, Nash se dirigea vers sa chambre.

Il ouvrit la porte et découvrit Faith, assise sur son lit, le visage légèrement tourné. Il vit l'éclat d'une larme qui roulait sur sa joue alors qu'elle fixait le solitaire au creux de sa main.

— Pourquoi pleures-tu ? demanda-t-il durement.

Faith sursauta en le voyant. Elle avait retrouvé sa bague sous le lit, où elle avait roulé.

— Je pleure tout ce qui aurait pu advenir, répondit-elle avec tristesse et sincérité, si…

— Si quoi ? incita Nash.

— Si tu n'avais pas cessé de m'aimer, Nash.

— Cesser de t'aimer ? Mais, je n'ai jamais cessé de t'aimer Faith, affirma-t-il, la voix voilée. Je n'ai jamais cessé.

— Mais tu me détestais en même temps.

— J'ai détesté ma propre incapacité à contrôler mon amour pour toi, rectifia Nash. C'est l'ironie du sort, je suppose ! Je me suis battu pendant des années contre moi-même, et le jour où j'ai enfin réussi à trouver une paix intérieure ; le jour où j'ai compris que malgré toute la loyauté que je devais à Philip, je ne pouvais pas m'empêcher de t'aimer, j'ai découvert que le véritable coupable c'était moi.

Faith fronça les sourcils.

— Je ne comprends pas…

Nash l'interrompit.

— Après la nuit de l'orage, j'ai décidé qu'il était temps de mettre un terme au passé. Je suis allé sur la tombe de Philip…

La nuit de l'orage ! En repensant au cours des événements, Faith sut ce qu'elle devait faire. Il lui suffisait d'agir avec courage et détermination.

Lentement, elle se leva et s'approcha de Nash. Lorsqu'elle l'eut rejoint, elle dit doucement :

— La nuit de l'orage ? Quand je t'ai embrassé comme ça… ?

Elle glissa ses bras autour de sa taille et se dressa sur la pointe des pieds pour atteindre sa bouche, l'effleurant langoureusement avec toute la détermination d'une femme amoureuse.

— Faith…, protesta Nash avec un gémissement sourd. Tu ne dois pas…

— Pourquoi pas ? murmura-t-elle avec audace, ses lèvres harcelant sa bouche. Je suis ta femme et tu es mon mari… mon amour… le père de mon enfant…

Comme il ouvrait la bouche pour protester, elle pressa ses lèvres contre les siennes, l'embrassant avec passion et amour.

Nash tressaillit, porta ses mains aux épaules de Faith et un instant, elle crut qu'il allait la repousser. Mais lorsque ses mains glissèrent le long de ses bras et qu'il l'attira plus près de lui puis prit le contrôle de leur baiser, tendrement elle s'abandonna.

— Dis-moi que tu m'aimes, dit-il, haletant, entre deux baisers.

— Toi d'abord.

Brusquement, Nash la lâcha et Faith crut un instant qu'elle s'était trompée, qu'elle avait trop présumé de la situation. Puis Nash mêla ses doigts aux siens et ordonna :

— Viens avec moi. Je veux te montrer quelque chose.

Lorsqu'ils atteignirent le belvédère, au bout de l'allée, Faith était complètement essoufflée. C'était une merveilleuse soirée d'été, douce et chargée du parfum des roses et de la lavande.

— J'étais ici, la première fois que je t'ai vue, lui dit Nash avec douceur. J'ai tout de suite su que je t'aimais, et que je t'aimerai toujours. Je t'aime toujours, Faith.

— Dis-moi encore ce que tu as ressenti lorsque tu m'as vue pour la première fois, insista-t-elle.

— Que je te le dise ? J'ai une bien meilleure idée. Je vais te le montrer.

— Ici, dans le jardin ? murmura Faith, à demi choquée mais d'autant plus enivrée.

— Ici, dans le jardin.

Alors, il l'attira dans ses bras et l'embrassa avec passion.

# Épilogue

— Philippa ! C'est un si joli prénom !

Faith remercia Lucy, la fiancée de Robert Ferndown, d'un sourire chaleureux.

La petite Philippa, douillettement installée dans les bras de son père, venait d'avoir trois mois. Son baptême avait lieu dans la journée, dans l'église même où Faith et Nash s'étaient mariés.

Les jeunes parents avaient demandé à Robert et Lucy d'être ses parrain et marraine. Une forte amitié s'était nouée entre les deux couples, et Faith se réjouissait d'assister à leur prochain mariage.

— Je vous envie tellement d'habiter un endroit si magnifique ! avait confié Lucy à Faith, le jour où Robert l'avait emmenée à Hatton.

— C'est une maison merveilleuse, en effet, avait approuvé Faith avec sérénité, avant de se détourner et de chercher Nash du regard.

A cette époque, elle était enceinte de Philippa. C'était en décembre, et pour leur premier Noël ensemble, Nash avait renvoyé la foule d'entrepreneurs qui avait investi Hatton, après qu'il eut décidé, qu'au lieu de donner la maison à la Fondation, Faith et lui en feraient leur foyer.

— Nous allons avoir besoin de beaucoup d'enfants pour la remplir ! avait-elle plaisanté.

— Et alors… ? avait dit Nash, les sourcils levés.

— Robert sera déçu pour la Fondation.

— J'ai pensé à autre chose pour Robert.

— Ah ! Quoi donc ?

Elle avait fixé Nash avec stupeur après qu'il lui avait fait part de son projet.

— L'ancien foyer pour enfants où je… ? Mais… ?

— Je me suis renseigné et la municipalité est prête à me le vendre. Le bâtiment actuel sera démoli et un autre sera construit à la place. Il s'agira d'une vraie maison cette fois, pas d'une institution.

— Et tu la céderais à Robert ! Oh, Nash…

— Cesse de me dire « Oh, Nash » comme ça, dans ton état, l'avait-il mise en garde avec humour. Tentatrice…

La petite Philippa s'agita dans les bras de son père.

— Si tu continues à la regarder avec autant d'adoration, je vais finir par être jalouse, déclara Faith en badinant, quittant Lucy pour glisser son bras sous celui de son mari.

— Attends seulement ce soir, murmura Nash en la conduisant vers l'église. Je te montrerai que tu n'as aucune raison de te sentir négligée ou jalouse. Tu seras toujours la première dans ma vie et dans mon cœur, ma Faith adorée.

Chère lectrice,

Vous nous êtes fidèle depuis longtemps?
Vous venez de faire notre connaissance?

C'est pour votre plaisir que nous avons imaginé un rendez-vous chaque mois avec vos auteurs préférés, vos AUTEURS VEDETTE dans les collections Azur et Horizon.

Les AUTEURS VEDETTE vous donneront rendez-vous pour de nouveaux livres vedette.

Pour les reconnaître, cherchez l'étoile... Elle vous guidera!

Éditions Harlequin

AUT-R-R

*LE FORUM DES LECTEURS ET LECTRICES*

CHERS(ES) LECTEURS ET LECTRICES,

VOUS NOUS ETES FIDÈLES DEPUIS LONGTEMPS?

VOUS VENEZ DE FAIRE NOTRE CONNAISSANCE?

SI VOUS AVEZ DES COMMENTAIRES, DES CRITIQUES À FORMULER, DES SUGGESTIONS À OFFRIR, N'HÉSITEZ PAS… ÉCRIVEZ-NOUS À:

LES ENTERPRISES HARLEQUIN LTÉE.
498 RUE ODILE
FABREVILLE, LAVAL, QUÉBEC.
H7R 5X1

C'EST AVEC VOS PRÉCIEUX COMMENTAIRES QUE NOUS ALLONS POUVOIR MIEUX VOUS SERVIR.

DE PLUS, SI VOUS DÉSIREZ RECEVOIR UNE OU PLUSIEURS DE VOS SÉRIES HARLEQUIN PRÉFÉRÉE(S) À VOTRE DOMICILE, NE TARDEZ PAS À CONTACTER LE SERVICE D'ABONNEMENT; EN APPELANT AU (514) 875-4444 (RÉGION DE MONTRÉAL) OU 1-800-667-4444 (EXTÉRIEUR DE MONTRÉAL) OU TÉLÉCOPIEUR (514) 523-4444 OU COURRIER ELECTRONIQUE: AQCOURRIER@ABONNEMENT.QC.CA OU EN ÉCRIVANT À:

ABONNEMENT QUÉBEC
525 RUE LOUIS-PASTEUR
BOUCHERVILLE, QUÉBEC
J4B 8E7

MERCI, À L'AVANCE, DE VOTRE COOPÉRATION.

BONNE LECTURE.

HARLEQUIN.

***VOTRE PASSEPORT POUR LE MONDE DE L'AMOUR.***

Composé et édité par les

*éditions* Harlequin

Achevé d'imprimer en juin 2004

à Saint-Amand-Montrond (Cher)

Dépôt légal : juillet 2004

N° d'imprimeur : 42826 — N° d'éditeur : 10619

*Imprimé en France*